# 99才まで生きたあかんぼう

辻　仁成

集英社文庫

この作品は二〇〇三年六月、
ホーム社より刊行されました。

# 99才まで生きたあかんぼう

# 目次

挿画　辻　仁成
装丁　新妻久典

父と母に――――辻　仁成

# 0［さい］

オギャー
オギャー
人間はだれもが泣いて生まれる。
このあかんぼうもやはり泣いて生まれてきた。
でも、何が悲しくてそんなに泣くのだろう。
前世《ぜんせ》での辛《つら》さを思い出して、泣くのかもしれないね。
生まれたての頃にはよく覚えているものだ。
一生がどんなに試練《しれん》多きものだったかということを。
これから毎年、歯を食いしばって生きなければならないんだから。
そりゃ泣きたくなるよな。
でも大丈夫、それはしだいに忘れていくよ。
薄れるように人間はうまくできている。
そうじゃなければ辛すぎるからね、人生なんてものは。

泣きつかれたら、だんだん、見えてくる。
泣きやむ頃にははっきりと見える。
何が見える？
目の前にあるものは何かな。
そうだ。そのとおり。それは笑顔というものだ。
お前を生むために、腹を傷《いた》めた母親の笑顔さ。
お前が泣いているというのに、なぜ母親が笑っているのか、だって？
なぜかな、それもしだいにわかっていく。
しだいにといっても、何十年か後には、という意味だけど。
まあ、でも今は、ただ泣けばいい。
気がすむまで泣くことだ。
泣いて泣いて泣きつかれるまで泣くことだ。
そのうちに、あらゆることがおかしくなってくるよ。
さあ、人生のはじまりだ、幕開《まくあ》けだ、思う存分《ぞんぶん》楽しんでくるがいい。

# 1［さい］

一さいになったあかんぼうは泣いてばかりじゃない。
ようやく上手《じょうず》に笑うことを覚えた。
口許《くちもと》をゆるめて、きゃっきゃ。
わだかまりも、はにかみも、気づかいも、けがれもない無垢《むく》な笑い。
泣いて生まれておきながら、おやおや、なんてすばらしい笑顔だろう。
誰かから教わったわけではないのに、上手に笑えるじゃないか。
生き物の中で笑うことができるのは人間だけだ。
なぜだと思う？　それは秘密。
いずれわかるよ。
とにかく、お前は笑うことで人生を乗り切ることができるようになる。
忘れるな、笑うことは大切だよ。
辛い時こそ、笑うんだ。
それにしても、一さいのあかんぼうは本当に笑うのが上手だ。

今度は見るもの聞くものすべてがおかしい、だなんてさ。
目の前にあるものがなんでもかんでも面白い。
何がおかしいのかしら、と両親が不思議そうに覗《のぞ》き込む。
それがまたおかしくて、きゃっきゃ。
彼らはもう忘れてしまっているだけだ。そう、そのとおり。
でも一さいのあかんぼうには、まだ前世での記憶が残っている。
幸福だったことを思い出し、なつかしんでいる。
だから木々を見ても、草花を見ても、空を見ても、うれしくなるのかも。
人生はまんざらではなかったはずだ。
そのとおり、お前にはまだ思う存分生きることができる一生がある。
笑う人生を生きるか、それとも泣いて生きるか。
時間をかけてじっくりと選択すればいい。
やれやれ。
それにしても、なんとも可愛《かわい》らしいあかんぼうだろう。

# 2［さい］

二さいのあかんぼうは夜泣きがひどい。
寝ぐずもすごい。
ベビーベッドの中を七転八倒《しちてんばっとう》、のたうち回る。
すやすや寝てくれないので、両親は大忙しだ。
泣きつづける二さいのあかんぼう。
母さんは心配そうに見つめている。
父さんは明日も朝早くから仕事なので、寝たふりをしている。
何がそんなに嫌なのか。
いつまでたっても泣き止まない。
寝るのと死ぬこととの区別ができずに不安がっていることを、親は気がつかない。
まだ死にたくないよ、と泣いているんだ。
そういう時はふくら脛《はぎ》を揉《も》むのがいいのに。
優しく両手で触れてあげる程度がいい。

暗闇《くらやみ》の中にいる二さいのあかんぼうは安心する。
よしよし。
母さんが二さいのあかんぼうの背中をさする。
仕方なく起きてきた父さんが二さいのあかんぼうを抱きかかえる。
大丈夫だよ、お前は一人じゃないんだよ。
よしよし、いい子だね。
視界の先にあかんぼうは親の顔を見つけて安心する。
安心が一番だ。
死ぬんじゃなくて、お前は生まれてきたんだよ。
二さいのあかんぼうはようやく納得して眠くなる。
ベビーベッドから出して両親の間に寝かせてあげましょう。
この子はきっと大物になるわ。
お前のふてぶてしい寝顔を見つめながら、母親はきっとそう考えている。
わたしもお前を見守っているよ。

# 3［さい］

歩くのが先か、喋《しゃべ》るのが先か。
同年代の女の子はもう喋っているが、この三さいのあかんぼうはまだまだ。
言いたいことは沢山《たくさん》あるが、あー、とか、うー、とか意味不明。
おしゃまな女の子が、この子何言っているのかわからないよ、と指さした。
児童公園の砂場で。
やっと歩けるようになったものの、頭が重くてよく転ぶ。
そのたび、母さんは大声を張り上げ飛び回る。
それがおかしくて三さいのあかんぼうはまた笑う。
はじめて覚えた言葉はママ。
次に覚えた言葉はマンマ。
ママとマンマさえ知っていれば、それで十分な時代。
三さいのあかんぼうは毎日少しずつ勉強をして人間に育っている。
母さんだけが知っているあかんぼうの静かな成長ぶり。

いいや、わたしも知っているよ。
わたしが誰かって？　それは内緒。いずれわかる。
「ママ！」
「マンマ！」
ご飯が食べたいのか、母さんを探しているのか。
それは母さんにだけわかることでもある。
でもどちらも三さいのあかんぼうには同じことだ。
お腹がすいたことを伝えることと、母親を探すことは、とっても似ている。
どちらも生きることの本質だから。
そしてとうとう、お前は二本の足で立つことを覚えた。
ヨチヨチ歩きだが、歩く気満々。
ぶつかって、倒れて、泣いても、また起き上がる。
その調子だ。
人生の荒波に向かって、いよいよ出発だ。

# 4［さい］

四さいのあかんぼうがひとりでうんちをする。
ひとりでおしっこはできてたけど、ひとりでうんちができるかな。
母さんにお尻のふきかたを習った。
人間は学校でなんでも習う。
でもお尻のふきかたと子供の作りかただけは意外なことに教わらない。
この二つ、人生でもっとも大切なことなのにね。
お尻はこうやってふくのよ、と母さんがやってみせた。
「いいかい、ぼうや、綺麗《きれい》にお尻がふけるようになったら一人前よ」
四さいのあかんぼうが真似る。
「うんち、うんち」
親の真似をして子供は育つ。
上手にふけたか、母さんがチェックだ。
お尻の穴がくすぐったいよ。

見るもの、聞くもの世界のすべてに好奇心。
気になる。興味が起きる。関心が向く。
悪戯《いたずら》をするのは、知りたいからだ。
知りたいという気持ちこそ、もっとも人間らしい感情なのだよ。
なんだか人間らしくなってきたぞ。よし、いい子だね。
お前の前には美しい光だけが降り注いでいる。
でも用心しなさい。
そして思い出すんだ。泣いて生まれてきたことを。
今から幻滅させて申し訳ないが、人生はそんなに美しいことばかりではない。
親は人生の美しさばかりを見せようとするだろう。
そして人間は現実を知るたびに打ちのめされる仕組みだ。
そろそろお前も打ちのめされるよ。
四さいのあかんぼうよ、覚悟をしなさい。
「うんち、ふけまちたあ!」

# 5［さい］

自分のものと他人のものとの区別が難しい。
友達が遊びに来ると、玩具《おもちゃ》のうばいあい。
そしてとっくみあいの大喧嘩《おおげんか》だ。
母さんは、貸してあげなさい、と味方になってはくれない。
でもこれは、パパが買ってくれたぼくのものだ。
ぼくのものなのに、どうして貸さなければならないの？
五さいのあかんぼうは、泣きだした。
やれやれ。こんなことでもう泣いてちゃ、先が思いやられるな。
幼稚園でも、泣いた。
大人にとってはなんでもない理由だが、五さいのあかんぼうにとっては大問題。
児童公園でも、泣いた。
遊んでいた場所をとられたせいで。
思い通りに世界が動かない。

五さいのあかんぼうはすっかり途方に暮れてしまった。
なんて生きにくい世界なんだろう。
でも五さいのあかんぼうは少しずつ学んでいく。
何度も喧嘩をして、何度も泣かされて、少しずつわかっていく。
友達が遊びにきた。
五さいのあかんぼうは友達の手の中にある自分の玩具をじっと見つめている。
あれはパパが買ってくれた玩具だ。
でも、仕方がない。お前はしぶしぶ差し出した。
立派ね、と母さんが頭を撫《な》でてくれた。
どうして褒《ほ》められるのか、まだわからない。
世界と自分のあいだが少しずつ広がっていく。
自分のものなのに、どうして我慢しなければならないのかわからない。
五さいのあかんぼうはそのことで泣きたくなる。
世の中というものに慣れるためには仕方がないね。

# 6［さい］

怒られることばかり。
何をしてもダメだと怒られる。
叩《たた》かれたこともある。
六さいのあかんぼうはもう昔のようにはいかない。
母さんは、自分でしなさい、と言う。
父さんは、もうあかんぼうじゃないんだから、考えなさい、と言う。
ダメ、ダメ、ダメ。
世界は禁止であふれている。
食べちゃダメ。
しちゃダメ。
走っちゃダメ。
ダメ、ダメ、ダメ。
何もかも、禁止だ。

なんのために生まれてきたのかわからないほどに、生きることは制限だらけ。
どうしてダメなのかは、あまり教えてもらえない。
とにかくダメなのだ。駄目《だめ》ー。
六さいのあかんぼうは、ダメだと言われるとしてみたくなる。
お前は仕方がないので、対抗措置《たいこうそち》にでてしまう。
あれ買って、これ買って。あれしたい、これしたい。やだやだやだやだー。
足をばたつかせ、店の前で座り込み、最後は大声で泣きだす始末《しまつ》。
やれやれ。
またしても泣きだしたね。
泣いてばかりの人生だ。
そんなことでこれからの一生を渡り切っていけるのかしら？
でも心配はしないよ。
なぜなら、それはみんなが通る道だから。そうだ、そのとおり。
わたしは笑って見ていることにしよう。

# 7［さい］

学校とはまことに奇怪《きかい》なところ。
いろんな人間がいるものだから、わがままが通じない。
世の中のことが少しはわかってきたお前にとって、そこはまさに道場のよう。
いい子でいるのは疲れる。
褒《ほ》められるのはうれしいけれど、おうちのようにはいかなくてストレスが溜《た》まる。
お前はもう七さいのあかんぼうなのに。
でもいいこともあっただろう？
隣の席の女の子を好きになった。
おや、それはね、初恋というものだよ。
もうそこまで成長したんだね、ほっほ、早いもんだ。
つい昨日までオシメだったのに。
ここでお前はまた悩んでいる。なぜか？
それはつまり恋を打ち明ける方法がわからないせいで。

玩具《おもちゃ》のようにはいかない。
隣の子は自分のものではないのだ。
パパに駄々《だだ》をこねて買ってもらうこともできそうにない。
どうしたらいいのだろう。お前は考える。
つまり考えることで、お前はまた世界の仕組みを少しだけ理解することになる。
自分の気持ちを伝える方法は幾《いく》らでもある。
答えなどないということもいずれわかる。
でも今は、一生懸命《いっしょうけんめい》だ。いいや必死《ひっし》というべきだろう。あるいは切実《せつじつ》。
胸が痛い。
七さいのあかんぼうは毎日胸を傷めて生きている。
打ち明け方がわからない。
学校とは不思議なところで、そういうことはちっとも教えちゃくれない。
母さんも父さんも教えてはくれない。
残念なことだが、それは自分で学ばなければならないものである。

# 8［さい］

とっくみあいの喧嘩をして負けて泣いた。
泣いた顔を大好きなあの子に見られて、いっそう泣いた。
やれやれ、八さいのあかんぼうはまだまだ泣いてばかり。
くやしいという気持ちがお前を泣かせるのだね。
くやしいという気持ちを知って、お前はこんなにも苦しい。
泣きながら一人学校から帰る。
泣いても泣いても涙は止まらない。くやしい、くやしい、えんえんえん。
マンションの屋上に登って、夕日を見つめる。
胸のどこかがしめつけられて今度は切なくなった。
ぼくは、どこから来たの？
どこへ行くの？
何のために生まれてきたの？
どうしたらいいの？

生きることは大変だ。でも八さいのあかんぼうよ、まだまだこれからだよ。
本当に悲しいことはこんな程度ではない。
世の中とはもっともっと残酷《ざんこく》で無慈悲《むじひ》なものだ。
負けないで、頑張《がんば》りなさい、としかわたしは言えない。
なぜならお前だけを助けるわけにはいかないのだよ。
人間はみんな、誰もが、歯をくいしばって生きているのだから。
それにもっと大変な人生を生きている人間も大勢いる。
食べるものも無《な》く、屋根も無く。
親も無く、希望も無い子も大勢いるんだ。
お前だけ甘やかすことはできない。
いいや、お前など、まだぬるま湯の中に浸《つ》かっているようなものだ。
過酷《かこく》なことは死ぬまでついてまわるのだよ。
もっともっと大変なことが待っている。
乗り越えられるかな?

# 9［さい］

あれもこれもほしくなる。
なのに、全部は買ってもらえないし、手には入らない。
早くも人生の本質が目白押し。
沢山持っている友達に自慢《じまん》されて、みじめになる。
その子のうちはお城のようだ。
その子の部屋には玩具《おもちゃ》やゲームが山積みになっている。
母さんに言うと、そんなお金はうちにはないわよ、と怒られた。
みじめは辛い。
どうしてお金持ちのうちに生まれなかったのか、と不公平を嘆《なげ》いた。
学校に行くと、裕福な子と、そうでない子が自然にわかれている。
九さいのあかんぼうは裕福ではない子たちと遊ぶ。
お金持ちの子に混じって、自分だけ持っていないというのは辛いからだ。
お前は母さんの財布から小銭を盗んだね。

盗んだお金を握りしめて走った。
文房具屋に飛び込み、ほしいものを探した。
値段の壁がお前の前に聳《そび》えている。
ほしくもない粘土を買って帰り、それが見つかって母さんに叱《しか》られた。
そればかりか、母さんは泣いた。
そんな子に育てたつもりはない、と。
やれやれ。九さいのあかんぼうも悲しくなった。
いろんなことを学んでいくね。
誰も教えてくれないことを学びながらお前は容赦《ようしゃ》なく成長している。
どうだい？
人生は面白いかな？　面白くない？　なんと、ほっほ。この罰当《ばちあ》たりめ。
でもまだ諦《あきら》めちゃダメだ。面白いことはこれからだ。
お前はそろそろそれを自分の力で見つけ出さなければならない。
そいつが人生の醍醐味《だいごみ》というものだ。

# 10［さい］

いろんなことがあって、喧嘩になって、一抜けた。
十さいのあかんぼうは学校に行くのをやめた。
前の席の女の子が毎日、給食のパンを届けてくれた。
でも素直に感謝《かんしゃ》できない。
なぜかな？
その子は君のことが好きなんだ。
でも君はその子ではない、別の子が好きだった。
なるほど、だからって冷たくすることもないように思うけど。
もらったラブレターとパンをごみ箱に放り投げた。
やれやれ。
うまくいかないからって、それはちょっとやりすぎじゃないか。
その子はパンを届け続けてくれているじゃないか。
お前だって、窓から覗いて、その子がやってくるのを待っていた。

毎日だ。
誰もお前のことを救ってくれないのに、その子だけは黙々とパンを届けている。
お前は毎日パンを捨てていった。
でも二カ月が過ぎた時、お前はパンを捨てなくなった。
そして三カ月目。
お前はそのパンを食べてみた。
食塩の味がした。その子の汗の味のようだった。
しょっぱい味を噛《か》みしめて、そのままお前は学校を変えた。
転校したんだ。新しい世界に逃げたのさ。
まあいい。そういう方法もあるだろう。
人生なんて、いいかい、幾らでもやりなおすことができる。
でも解決する方法だって実はね、同じように無限にあるんだけどな。
お前は覚えているね、給食のパンを届け続けてくれた少女の、黙々と歩く姿。
いつかわかる時がくるだろう、彼女の気持ち。

# 11［さい］

転校してもいじめは続いた。
ほら、そういうものだよ、世の中とは。
今回は学校を移ることはできない。
我慢というものを学ぶべき時が来たね。
十一さいのあかんぼうには大変な試練だな。
とりあえず、お前は孤独と友達になる道をえらんだ。
それは決して悪い方法じゃないが、全てを拒絶《きょぜつ》してしまうのはちょっとやばい。
それは死ぬということだからね。
お前はもう少し柔軟《じゅうなん》に世界と向き合わなければならなくなった。
自分を殺して生きはじめたお前を見ているのは辛い。
助けてあげたいが、ここを乗り越えないと、一生、同じことの繰り返しだ。
頑張るしかないね。そのとおり、頑張るしかないんだ。
時には逃げ出さないことも大切。

十一さいのあかんぼうは戦った。
陰湿《いんしつ》ないじめに対して、お前は生まれて初めて、心の底から吠《ほ》えた。
勝つことはなかったけれど、でも負けることもなかった。
泣かなかったし、逃げなかった。
誰も助けてはくれなかったが、やるべきことは全力でやった。
沢山殴《なぐ》られたが、悲しくはなかった。
血を見て母さんは驚いたが、お前は転んだと嘘《うそ》をついた。
親にこれ以上心配をかけたくなかったし、いちいちなぐさめられるのも面倒《めんどう》くさい。
とにかくお前は親や先生に言いつけることもしなかった。
そして結局、自分に勝った。
つまり堂々としてればいいのだ。ほっほ。
難しいことだけど、自分に負けなければオッケイだ。そのとおり、それが人生だ。
世の中は広い。はてしなく、でかいよ。
お前は夜、ベッドの中で震《ふる》えながら、そう考えた。

# 12［さい］

十二さいのあかんぼうのおちんちんに毛が生えた。
お前は自分のおちんちんをじっと見つめる。
ひっぱってみたり、おしこめてみたり。
さあ、そいつはやっかいなものだが、男である以上はつきまとうよ。
上手にあやつっていくしかない。
船のマストのようなものだ。
学校で将来の夢についての作文の宿題が出た。
まだ十二さいのあかんぼうである。
大人になってやりたいものなどわかろうはずもない。
会社員、医者、先生、警官、画家、スポーツ選手、バスの運転手、パイロット。
まあ、他《ほか》にもあるけど、ざっとお前が思いついたものはそんなところだ。
十二さいのあかんぼうにしては上出来だろう。
学校にさえ行きたくないのに、将来社会で働けるかどうか、不安はつきまとう。

父さんは仕事のせいで、青い顔をしている。
母さんはいっそう家計がしめつけられて文句ばかり言っている。
お前は何も買ってもらえず、ちっとも面白くない。
でもおちんちんに毛が生えた以上、もうわがままは言えない。
父さんは、おちんちんに毛が生えたらもう大人だからな、と言った。
将来なんてものは気が重い。
でも想像してみてくれ。
十二さいのあかんぼうにはまだまだ膨大《ぼうだい》な時間が残っている。
やる気になれば、きっと宇宙飛行士にだってなれるはずだ。
いいや大統領にだってなることができるかも。
わたしはこっそりと期待しているんだ。
十二さいのあかんぼうが、ある瞬間に奮起《ふんき》するのを。
お前はおしっこをしながら考える。
よし、頑張ってみるか、とね。ほっ、いい感じ。

# 13［さい］

また引っ越した。
新しい中学は新しい街にあった。
母さんと父さんが別々に暮らすことになり、お前は母さんの方についた。
何もかもすっかり新しくなった。
でも十三さいのあかんぼうは今までとはちょっと違っている。
新しい学校でも上手に渡り合っていた。
おいおい、お前、どこでそんな技術を身につけた？
折り合うコツを覚えたんだとさ。やるね。
でも気になることもある。
お前は多数決を口にしすぎる。なんでもかんでも多数決だ。
多数の意見が正しい、とお前は主張した。
上手な生き方だが、わたしはちょっと気に入らない。
上手に生きる方が楽《らく》なのはわかるけど、なんだか、気楽すぎないかな。

学級委員にまで昇進したお前は、出るクギは打たれる、と唱《とな》えた。
おいおい、やりすぎだ。
孤独と仲良しだった頃のお前は、自分の考えをきちんと持っていたじゃないか。
でも今じゃ、統治者《とうちしゃ》になってしまった。
先生に信頼され、内申書もバッチリ。
今度はいじめる側に早変わりかい？
まあ、そういう生き方もあるだろう。
うじうじ生きるのに疲れたんだ。しょうがない。
十三さいのあかんぼうは随分と賢くなった。
いろんなことを学んで、逞《たくま》しくなった、と褒《ほ》めるべきかもしれないね。
お前は弱い立場の生徒を生贄《いけにえ》にし、クラスをまとめていった。
まるでこの世界のように、上手に、四捨《ししゃ》五入《ごにゅう》の方法を利用して。
貧しい国はいつまでも貧しく。
富《と》める国はいつまでも裕福で。

# 14［さい］

いい子でいるというのは本当に疲れるものだ。
反動のせいで、十四さいのあかんぼうは学校の外で不良になった。
悪い仲間たちとつるみはじめた。
そいつらから悪いことをどんどん教わっていった。
母さんは心配だが、彼女も女手一つでお前を育てなければならない。
働きに出ているので、お前のことまで面倒を見ることはできない。
困ったことになったぞ。
悪友はＣＤを盗んで売っている。
お前はそれが盗品とわかっていながら、そいつからＣＤを買った。
おい、大丈夫か？
いつかお前も盗みをはじめるのじゃないか、と心配だよ。
先生にお前は呼び出された。悪友らのことで。
お前は口を閉ざした。仲間を売ることはできない。

悪友の一人が警察に捕まったのだ。
そいつがお前こそが主犯だと主張した。
みんなお前にそそのかされて盗みを働いた、と言いだした。
やれやれ。
お前が築いた王国など、しょせん砂で出来た城のような脆《もろ》さだった。
奴隷《どれい》のように扱われていた連中のうらみは凄《すさ》まじかった。
自業自得《じごうじとく》だ。
十四さいのあかんぼうは自主退学をするしかなかった。
でもこれではっきりとしたじゃないか。
お前は自分を曲げた。
その責任は重すぎたが、でもそれなりに勉強にもなった。
この後、どう自分の尻をふくか、が問題だ。さあ、思い出せ。
お前は母さんに昔、尻のふきかたをならったはずだ。
「いいかい、ぼうや、綺麗にお尻がふけるようになったら一人前よ」

# 15［さい］

十五さいのあかんぼうは妥協《だきょう》という言葉と出会う。
アルバイト先で知り合った女の子を好きになったが、ふられた。
で、二番目に好きになった子にまでふられてしまった。
やれやれ、現実とは厳《きび》しいものだ。
結局、好きでもなかった女の子に告白《こくはく》されて、つきあうことになった。
その子は、昔、給食のパンを届けてくれた少女に似ていた。
十五さいのあかんぼうは、その子とエッチをしようとしたが、出来なかった。
あせっちゃダメだよ。
そういうことはせっかちになってはダメなんだ。
しかし、十五さいのあかんぼうにはまだわからない。
正しいセックスの方法や、愛し合い方など、学校では教えてくれなかった。
その子に笑われて、お前はいっそう自信をなくしてしまう。
でも言っておくが、その子はお前を馬鹿にしたわけではないよ。

ただそういう時って、どうしようもないものだ。
つまり、笑うしか。
その子だって本当は泣きだしたかったんだ。
またしても大きな試練がやってきたな、大丈夫かい？
お前はアルバイトも辞《や》めて、家に籠《こ》もり、元気がない。
何もかもがうまくいかず、ふてくされてると、母さんが卵料理を拵《こしら》えてくれた。
ニンニクの効《き》いたオムレツだが、先祖代々の定番料理だ。
「落ち込んだ時はがんがん炒《いた》めて、じゃんじゃん食うことさ」と母親はなぐさめた。
お前は食べた。「いいかい、食べることは生きることだよ」
母さんが拵える料理をどんどん食べた。
いろんなことがあるが、泣いちゃだめだ。まだまだ本当の苦しみはこれからだ。
妥協の上に挫《ざ》折《せつ》があり、挫折の上に絶望《ぜつぼう》がある。
絶望の先には二つの選択《せんたく》があるが、それじゃあ、明るい方を教えよう。
それは、懲《こ》りずに頑張る、という道である。

# 16［さい］

ふてくされていてもどうしようもない、ということにどうやらやっと気がついた。
十六さいのあかんぼうはようやく立ち上がる。
自分の意味、存在理由、価値を見つけ出そうと、真剣に考えた。
何かわけがあって、自分は今ここに存在してるはずだ、と思った。
ほっ、いい滑《すべ》り出しである。
小さな世界でうじうじしていても仕方がない。まさに、そのとおりだ。
まだまだ若いのだ。それに世界は広い。
そのとおり！　それでこそ、わたしが見込んだ人間だ。
で、どうする？
十六さいのあかんぼうは自分に足りなかったものは希望だと思った。
だから希望を探しにでかけることにした。
まだ十六年しか生きてないのだ。
やろうと思えばなんでもできる。

未来の方が過去よりも沢山ある。
それこそが希望だ、とお前は自分に言い聞かせる。上出来。
なんでもやれるような気になってきた。
そう思うと、不思議なことに気力が湧《わ》いてくる。むくむく、むくむく。
何もかもまだ手つかずのまま未来に横たわっていることに気がついたのだ。
じゃあ、とりあえず、探しに出ようということになった。
お前が一生をかけて手に入れることができる未来を。
そして十六さいのあかんぼうは手始めに手に職をつけようと考えた。
技術を持つことこそが世界と自分とを対等にさせる方法であると考えたからだ。
よろしい、いい感じだ。
十六さいのあかんぼうは朝早くからレストランで働いた。
うまいもんを作る人間になって、世界中を励《はげ》ましたい、とお前は考えた。
大げさな奴だが、まあいい、とにかくジャガイモを剝《む》いて最初の一年が過ぎた。
誰よりも早く、美しく、ジャガイモを剝くことが、最初の一歩だと信じて頑張った。

# 17［さい］

大きなホテルのレストランに移った。
ジャガイモ剝きの後、皿洗いに出世し、それからスープの担当になった。
でも十七さいのあかんぼうはもっと大きな夢を見はじめていた。
どれほど大きな夢かは、まだ言葉にはできなかった。
でも言葉にできないほど大きな夢なのだ。ほお、やるね。
とにかくもっと頑張ってもっともっと力をつけるのだ、と自分に言い聞かせた。
ある時、チャンスが巡《めぐ》ってくる。
もちろん、それは日々の努力の賜物《たまもの》というやつだろう。
お前はまかない料理の担当になった。
作ったのは母親ゆずりのあのニンニクオムレツだった。
総料理長の口でそれは見事にとろけ、お前は認められた。
名前を覚えられ、可愛がられることとなる。
すごいじゃないか！

それからまもなくのことだ。お前はその若さで肉料理部門のチームに抜擢《ばってき》される。嫉妬《しっと》もあり、生意気だと先輩《せんぱい》に殴られたが、いじめには慣れていた。堂々とした。それがさらにお前の人望を集める結果となった。

うまくいく時というものはほっておいてもうまくいくものだ。そのとおり。

総料理長のお気に入りとなった十七さいのあかんぼうは出世街道まっしぐら。

でも、そこで満足しないところが、最近のお前の凄《すご》いところだ。ほっ！

本当にお前は成長したよ。なんだかうれしい、自分のことのように。

お前は誰よりも早く仕事場に顔をだし、誰よりも遅くまで仕事をした。

みんなが帰った後、お前は人よりちょっと長く努力をした。

ちょっと長く、というのがミソだ、とお前は気がついた。

驚くべき成長じゃないか。そのとおり、人よりもちょっと努力する、だけでいい。

おいおい、いったいどこでそういう高等テクニックを学んだのかな。

みんなが遊んでいる間も、お前はキッチンに残って腕を磨《みが》きつづけた。

そしてそういうものをちゃんと見ている人間もいる。

# 18［さい］

十八さいのあかんぼうは順調に出世した。
今や大ホテルのレストランで、メイン料理の盛りつけを担当するまでになった。
これは大出世といっていいだろう。
同じ年齢の人間でまだジャガイモを剝いている者も沢山いる。
それでも今のお前のすばらしいところはそこで自惚《うぬぼ》れないところだ。
いったいどうしたっていうのだ。その成長ぶりは。
まさか世界一のコックを目指しているんじゃないだろうな。
でもそんな順調なお前にも悩みはある。
悩みだらけといっても過言じゃない。
十八さいのあかんぼうなのだ、無理もない。
休日はコンプレックスの数を数えて過ごしている。
背が低い。
目が細い。

髪が縮《ちぢ》れている。
猫背。
黒子《ほくろ》がある。
ハンサムに生まれたかった。
両親をうらむ時もある。
でも文句をいっても仕方がない。お前はそれを受け止めなければならない。
完全な人間なんかいないのだ、と総料理長はジャガイモを指さして言った。
同じ形のジャガイモはない、だから一つ一つに新たな気持ちで向かうことだ。
お前は、うなずいた。
仕事が終わると、十八さいのあかんぼうは屋上に登り、夜空を見上げた。
自分はまだ星屑《ほしくず》だと思った。
でもいずれ、輝きになりたい、と思った。
輝きになって、世界を照らしたい、と。
ふむふむ、いい調子。その気持ちを死ぬまで忘れるなよ。

# 19［さい］

危険というものはそこら中にある。
誘惑という罠《わな》もそこら中に転がっている。
十九さいのあかんぼうにも危険はせまる。
悪い仲間はいろんなものを持ってくる。
さまざまなドラッグ。
賭《か》け事《ごと》。
ナイフに、拳銃《けんじゆう》に、ギャングからの誘い。
いろいろある。
そういう世界と距離を保っているつもりだが、巻き込まれてしまうこともある。
それが都会の怖《こわ》さだ。そして若気《わかげ》の至《いた》り、というものさ。
生きていれば降りかかってくる災《わざわ》いも、いくらでもあるだろう。
ここまでは順調だったが、お前はまだ幼い。心配だな。
危険という言葉には気をつけろ！

危険という言葉は確かに人々に警告《けいこく》を与える。
でも同時に、ある人達には誘惑を与えてしまう、それは恐ろしい言葉なんだ。
危険だから近づくな、と言われて、手を出したくなるのが人間というものでもある。
十九さいのあかんぼうよ、お前はちょっとへまをやったな。
本当に小さなドジだった。
魔《ま》が差した、ということだ。
総料理長はお前を庇《かば》ったが、経営者はお前をくびにした。
やれやれ。
これまでの努力が水の泡《あわ》。
努力をいくら積み重ねても、一瞬にして失って消えてしまうものも努力なのだよ。
そうやって落ち込むがいい。
自分をうらめ。
また一つ失ってしまったな。
でも、十九さいのあかんぼうよ、お前はそうしてまた一つ手に入れたのだよ。

# 20[さい]

罪《つみ》とは何か。
少年Aではいられなくなる。
つまりもうお前は二十さいのあかんぼうになってしまったからだ。
魔が差したではすまされなくなった。
罪とか、責任とか、やっかいなものばかりが増える。やれやれ。
お前は選挙に行った。
まあ、ちょっとした気まぐれだった。退屈な日曜のひまつぶし。
わかるよ、覗いてみたいと思う気持ちは。
投票所でお前は迷った。
立候補者の誰に入れていいのかわからなかった。
わかるわけはない。
みんな同じ顔に見えた。
嘘の微笑《ほほえ》み、不誠実な印象。

みんな国を駄目にしそうな顔をしている、と思った。
おい、顔で判断するものじゃない。軽いのはお前の方だ。
投票用紙を見下ろし、悩んだ。後ろで人が待っており、逃げ帰るわけにもいかない。
それで自分の名前を書いてしまった。なんと！　この馬鹿たれ。
とんだ、大馬鹿やろうだ。わたしはがっかりだよ。
出口調査の青年に、どこに入れましたか、と質問された。
自分党、と答えた。
お前は世の中に仕返しをしたような気分だった。
選挙帰りの夫婦が信号のたもとで喧嘩をしている。
誰に入れたか教えてよ、夫婦じゃないの、と妻が怒鳴《どな》った。
夫は、首をふって、それは教えられない、それが選挙というものだ！
「個人の自由、そして権利というものだ」
二十さいのあかんぼうは立ち止まった。
自分がしでかしたことこそが罪だと悟《さと》った。

# 21［さい］

街角の小さなレストランで働いた。
そこに勤める若い女の子を好きになる。
二十一さいのあかんぼうは必死になった。
毎日その子のことを考え、頭の中はいっぱいいっぱい。
何度でも言おう、それを恋というのだ。
どうやら本気のようだな。
お前は一生懸命ジャガイモを剝いてみせた。
まかない料理にも腕を振るった。
主人にも認められ、美味《おい》しいという評判が広がった。
それはすべて彼女を口説《くど》くためでもある。ほっほ、人生の基本だな。
店が終わると、彼女をデートに誘った。
緊張《きんちょう》の一瞬だ。
可愛い女の子はじっとお前を見つめた。

外見、将来性、優しさ、などなど。
でもどうにか、お前は彼女の審査にパスしたようだ。
なんとも、ここに来てお前は幸運を手に入れようとしている。
最初は映画を観に行った。
夜に公園で口づけをした。ほっ。
自分のアパートに連れ込んだ。なんと。
けれども、前にうまくいかなかった苦い経験が頭を過《よぎ》った。
ここで失敗したら、とそのことがお前を萎縮《いしゅく》させる。
二十一さいのあかんぼうは再び途方《とほう》に暮《く》れた。
自信がないんだ。
お前は正直に告白した。
すると彼女は布団の中にもぐりこんで、魔法をかけた。
お前ははじめてだったが、その子ははじめてじゃなかった。
一つにはなれたが、そのことでお前は少しブルーになる。

# 22［さい］

初めての恋人とは少しつきあって、別れることとなる。
理由はくだらないことだが、二十二さいのあかんぼうにとってはそうじゃない。
お前は落ち込んだ。
まあいい。
乗り越えていくほどに人生のポイントも増えるという仕組みだ。
仕事にも力が入らなくなり、お前はつまらないミスを連発。
やる気というものがまた失せてしまった。
何をやってもさっぱり駄目な時というものはある。
そういう時はぐずぐずしてみるのも悪くはない。まあいいよ、さあ、ぐずりな。
そのうちに元気になるさ。気楽に行こう。
駅前で新興宗教団体の勧誘《かんゆう》を受けた。
神を信じますか？
二十二さいのあかんぼうは信仰《しんこう》がないことに気がついた。

宇宙人を信じますか?
二十二さいのあかんぼうは非現実的なものにはあまり興味がなかった。
死後の世界に興味がありますか?
二十二さいのあかんぼうは生きることで精一杯であった。
あなたにはパワーがない、私達の導師《どうし》に是非《ぜひ》会うべきだ、と青年が言った。
二駅先の集会所に連れていかれ、グルと呼ばれる老人にあった。
私は神だ、と老人は言った。
二十二さいのあかんぼうはじっと老人の話を聞いていた。
老人が言っていることはさっぱり理解ができなかった。
でも二十二さいのあかんぼうは一つのことを思い出した。
「落ち込んだ時はがんがん炒めて、じゃんじゃん食うことさ」
そうだ、そのとおり、それは母親の言葉だった。
お前はここにいる必要はない、と悟った。
二十二さいのあかんぼうは、笑顔で立ち上がり、さようなら、と言った。

# 23［さい］

母親が再婚をしたこともあり、またもや恋人にふられたこともある。
仕事が行き詰《づ》まり、夢が沈みかけたせいもある。
二十三さいのあかんぼうは外国へ出ようと決断をする。
思い切ったものだ。いきなり外国だなんて。なんでそうなる？
ほっ、でもそういうところがお前さんの凄いところだよ。
どうせ人生を立て直すなら思い切った手段がいい、とお前は考えた。
コックとしての腕を上げるのなら、本場で勉強をしようと思いついたわけだ。
なるほど、悪くないアイデアだ。
でも言葉はどうする？
向こうに知り合いもいないだろう？
住むところはどうやって探す？
不安の方が多い外国への旅立ちだが、若いからできるということも言える。
二十三さいのあかんぼうは、この国は自分には小さすぎる、と考えた。

もっと大きな国で自分の可能性を試してみたい。
自由とチャンスがあふれて、才能を認めてくれる国ならどこでもいい。
試すなら若いうちだ。今しかない。なんたる向こうみず！
そのとおり、そういう方法だってあるな。決して間違いではないさ。
でも子供の頃に、いじめに耐えきれず学校を変えたのと同じじゃないだろうね。
まあいい、人生は一度しかない。
やる気が大切だ。
二十三さいのあかんぼうは海を渡った。
そしてなんとかかんとか、大都会のレストランにもぐり込むことができた。よし！
言葉を勉強し、勤勉《きんべん》に働いた。
お前のポリシーは昔と変わらない。
みんなよりも、ちょっとだけ長く努力する、ことである。
自分の能力を信じることができることはすばらしい。
いいかね、それこそが才能というものなのだよ。

500
80
1000

# 24［さい］

若いということはすごいものだ。
たった一年でお前は言葉をどうにか喋るようになった。
それに誰よりもちょっとだけ努力するあの方法が功《こう》を奏《そう》した。
二十四さいのあかんぼうはまたしても実力を評価されていく。
総料理長もオーナーもお前をすっかり信用している。
いいかい、今度は危険には決して手を出すんじゃないよ。
黙々と働くんだ。今はそういう時期だ。ちょっとだけ人よりも努力する時期。
夢に向かってまっしぐら！
さあ、お前のモットーを聞かせておくれ。
第一に、丁寧《ていねい》な仕事。
第二に、勤勉《きんべん》。
第三に、誠実《せいじつ》。
第四に、寛大《かんだい》。

第五に、忍耐《にんたい》。
第六に、謙虚《けんきょ》。
第七に、友情。
そして最後に、スマイルだ。
二十四さいのあかんぼうは笑顔を覚えた。
生まれたばかりの頃の無垢なだけの微笑みとは違う。
小学生の頃の自分を誤魔化《ごまか》すための愛想笑いとも違う。
今度の笑顔は一発逆転の笑顔さ。
白い歯を見せつけるように笑う最高の笑み。
上の者にも下の者にも、お前は分け隔《へだ》てなくその笑顔を振りまいた。
美味《おい》しい料理に最高の笑顔、それがお前のモットーになった。
二十四さいのあかんぼうは、異国で出会った人々に褒《ほ》められるたび、笑顔を返した。
順風満帆《じゅんぷうまんぱん》といったところだ。ほっほ、すばらしい。
このままいつまでもうまくいくはずはないが、今のところはわたしもうれしい。

# 25［さい］

母親に長い手紙を送った。
新しいレストランに移り、肉料理部門の二番シェフに昇格《しょうかく》したことを伝えるために。
なんといっても本場では引き抜きがあたりまえ。
実力があれば、どんどんヘッドハンティングされて出世する。
まあ、その分しくじれば、落ちるのも早いので気を抜かないことだ。
とにかく、お前は言葉を学習しながら、料理の腕を磨いた。
学ぶことだけに甘んじず、オリジナルのレシピの開発もはじめた。
そして、いつか自分の店をこの国に出そうと考えている。
それは実にすばらしい思いつきだ。
生まれて初めての野心と言えるだろう。
野心だ。
二十五さいのあかんぼうには大きな夢ができた。
世界中に自分の名前のついたレストランを出すことだ。

おいおい、なんたる大胆《だいたん》な夢だろう。
ちょっと外国で褒《ほ》められたからといって、そこまで自惚《うぬぼ》れて大丈夫かな。
でも今のお前には怖《こわ》いものはない。
自分の国では、その生意気さゆえ、生きにくいこともあった。
いじめや嫉妬に苦しめられた。
でもここは実力主義の国だ。多少の生意気は愛嬌《あいきょう》になる。
それにいざというときはいつもの笑顔で切り抜けろ。
二十五さいのあかんぼうはふと未来を見つめた。
目の前には沢山の時間が横たわっている。まだまだある。
つまりそれだけチャンスがあるということだ。
お前はみんなが帰った後の厨房《ちゅうぼう》で、創作に耽《ふけ》る。
こつこつ勤勉に努力している。いつもの方法だ。ちょっとだけ長く……。
頼もしい限りじゃないか。
二十五さいのあかんぼうよ、わたしはちょっと感動したよ。

# 26［さい］

言葉も覚え、仕事も順調。
少しのゆとりができたこともあり、お前はまたしても恋をした。
相手は語学学校で知り合った同じ国の女の子だ。
ちょっと紹介してくれよ。どれどれ。
あ、可愛い子じゃないか。ほっ、まったくめざとい奴め。
二十六さいのあかんぼうにはもったいない美人。
それに何よりすばらしいのは、その子はお前の理解者だ。
二つ年下の彼女は夢を語るお前が大好き。
馬鹿にせず、真剣に耳を傾け、時に、すてきだわ、と微笑んだ。
映画館の帰り、公園で口づけ、彼女はそのままお前のうちに泊まった。
もちろん二人とも初めてではなかったが、もうそんなことはどうでもいいこと。
朝が来る前にお前はプロポーズをした。
きかせておくれ、その気障《きざ》な台詞《せりふ》。

「ぼくに毎朝目玉焼きを作ってくれないか」
ふふふ、やるじゃないか。いやあ、あいかわらず臭《くさ》い男だ。
でも、いいさ、上出来だ。シンプル・イズ・ベスト。
で、彼女の返事は？
「じゃあ、仕事帰りに毎日新鮮な玉子を買って帰ってきてね」
二十六さいのあかんぼうよ、おめでとう。
まちがいなくお前の人生において、忘れられない幸福な瞬間だった。
お前は最高の笑顔を拵《こしら》えた。
やれやれ。
わたしは泣きそうだ。いいや、そうじゃない。
これからお前に降りかかる人生の重さを知っているからこそ、泣きたくなるのさ。
でもまあいい。
幸福と不幸とは仲がいいものだ。そのことはお前もよく知っている。
そのとおり、一つ得たら、一つ失うのが人生というものだからね。

# 27［さい］

だからといって、すぐに試練が来るものではない。
最初にやってきたのは、試練ではなく、幸福の使者だった。
子供が生まれたのだ。女の子だった。
二人は親になった。ほっほっほほ〜。人生とはなんとドラマチックなものだろう。
生まれ出た子はやはり泣いている。わんわん大騒ぎだ。
覚えているかな、二十七さいのあかんぼうよ。お前も同じように泣いていた。
人間はみんな泣いて生まれてくるのだ。
そして見上げると、そこには微笑む親の顔があったはずだ。
二十七年前、お前はそうやって愛に包まれて生まれたんだよ。
両親は離婚したが、でも、お前の中にはちゃんと父親と母親がいる。
親の立場になってはじめてわかることも沢山ある。
生まれ出た女の子はお前たちを真似て、もうすぐ笑顔を覚えるだろう。
「可愛いな」

お前は思わず呟《つぶや》いた、それこそ、幸福というものだよ。
成功はまだ摑《つか》んではいないが、これを幸福と言わずして何を幸福というのか。
お前はますます頑張ろうと子供に誓った。
そういう時はさらにいい話が舞い込むものだ。ほら、聞こえるかな、あの足音。
部門シェフに出世したお前のところに、店を任《まか》せたい、という声が突然上がった。
小さな店だが、好きなように運営してかまわない、という嘘のような話。
用心をしながらも、妻と相談をし、お前はそれを引き受けることにした。
おいおい、こんなに順調でいいのかい？
いつもの微笑みにちょっと翳《かげ》りがあるけど大丈夫かな？
不安はしょうがない。これは夢のような話だ。びびっているけど仕方がない。
郊外に家も買った。小さな小さな家だが、庭もついている。
美しい妻。可愛い子供。小さな家。それに新しい店を任されたのだ。
わたしもお前に負けず、かなり怖《こわ》い。
人生という怪物がこのままおとなしくしているはずはない、よな。

# 28［さい］

二十八さいのあかんぼうは向かうところ敵無し。

新しい店の評判も上々。

その国のザガットやミシュランでも大絶賛。

料理の評価は三十点満点中二十二点とまあまあだが、

「店は外国人の多い場所にあり、狭すぎて落ちつかないし内装も平凡、でも予約無しでは入れない今年一番の話題の店。となりの客の肘《ひじ》が気になるが、味の方は創造力に富んでいて、ちょっと驚きの味。一度行ったらやみつきになる、との声もあり」

と、これは凄い。

批評なんか信じちゃだめだ、とお前は言うが、妻は大はしゃぎだ。

二十八さいのお前だって、悪い気がしない。

なんといっても外国の料理雑誌に載ったのだし、けなされてはいないのだから。

それにしても娘は可愛い。無垢な微笑みを見ると、心が休まる。

はじめての子供だ、当然である。

どんなに仕事が辛くとも、戻ってきて、子供の顔を見ると元気になる。
妻と将来のことを話しあう。
自分たちの店を持つ計画を話しあうのはなんとも楽しい時間である。
子供の頃の、友達とつきあうのが下手《へた》くそだったあのお前がまるで別人のよう。
二十八さいのあかんぼうは新しい国で多くの友人や味方をつけることにも成功した。
別の店から引き抜き話も絶えなかった。
でもお前は一度腰を落ちつけたら三年は頑張ると自分に言い聞かせて働いた。
もちろん、笑顔は忘れちゃいない。ビッグスマイル！
メニューにある「本日のスマイル」とは、シェフのおまかせのことだ。
これが、あきない、美味《おい》しい、しつこくない、と三拍子揃《そろ》っていて大好評。
やれやれ。
人間という生き物は不思議なものである。
一旦成功しはじめると、見違えるようになるものだ。
お前も例外ではない。いや、ほんと、実にかっこいいよ。思わずもらい泣き。

# 29［さい］

二人目の子供は男の子であった。
お前は髭《ひげ》をたくわえ、スーツを着るようになる。
童顔なので、貫禄《かんろく》をつけようという妻のアイデアである。
似合っているかどうかは、意見の分かれるところだろう。
でもわたしは似合っていると思うよ。馬子《まご》にも衣装《いしょう》。すてきさ。
オーナーは一軒目の成功に気を良くして、二軒目を出したい、と言いだした。
ちょっと早すぎるのでは、と二十九さいのあかんぼうは疑問を口にした。
しかし、オーナーは、そんなことはない、と首をふる。
飲食というものは、二軒、三軒と拡大しなければ儲《もう》からない仕組みなのだ。
お前は反対だったが、自分の店ではない、従うことにする。
どんな店がいいだろう、とオーナーは乗り気だ。
この大都会は世界中から人々が集まっている政治、経済の中心地。
「魂《たましい》に優しい健康主義の店がいいでしょう。都会のオアシスのような」

かくしてお前は店舗《てんぽ》の候補地を見て回る。
二軒目はシティの中心地に出来た。
周囲は、高層ビルが立ち並ぶオフィス街である。
ランチタイムにはビジネスマンがずらりと並んだ。
無論、夜は予約でぎゅうぎゅうだ。
仕事は前よりも忙しくなり、帰るとすでに子供は寝ている。
妻から子供の昼間の様子を聞かされ、寝顔にキスをした。
ちなみに、今年のザガットの点数は二十五点にはねあがった。
高級車と番犬を買った。
次第に足場を固めていった二十九さいのあかんぼう。
お前はすっかり人生という荒馬を乗りこなしてしまった感がある。
きっと三軒目も成功するだろう。
でもお前は不満が芽生えだしていることに気がついていない。
成功の陰には必ず、不満が芽生えるものなのだ。

# 30［さい］

三十さいのあかんぼうはオーナーの経営方針にだんだんとついていけなくなった。
利益を優先するために、材料の質が落ちはじめた。
店が大きくなったせいで、全店舗への細かな目配りができなくなった。
本店の評判が落ちて、夜は予約でうまらなくなってしまった。
当然、料理雑誌での点数も評価も下がり気味《ぎみ》だ。
三十さいのあかんぼうが、懸念《けねん》していた事態がついに起きつつある。
このままいけば、店は大衆レストランになってしまう。
店の格が落ちれば、せっかく築いた自分の評判も落ちることになる。
同時に、例のスマイルもくもりがちだ。
三十さいのあかんぼうは、もう一度決断をするべき時ではないか、と考えた。
石の上にも三年という諺《ことわざ》からすると早すぎる撤退《てったい》だが、時と場合による。
自分の国を出た時の、あの大胆な決断を、再びする時が来たのだ。
お前はオーナーに店を辞めたい、と告げた。

オーナーは予想に反して怒った。

「二度とこの世界では仕事ができないようにさせてやる。この恩知らずめ」

でもこれは耐えるしかない。

たとえ、意地悪をされても、堂々として受けるより道はない。

家のローンや借金、子供の教育費など、抱える問題は沢山あったが、迷わなかった。

三十さいのあかんぼうはアシスタントにその地位を譲《ゆず》って店を出た。

吉と出るか、凶と出るか、それはわたしだけが知っている。

お前は家に帰り、そのことを妻に告げた。

なんの相談もなく仕事を辞めてしまった夫に妻はカンカンだった。

それでも彼が決めたことだ、と妻は我慢をした。

「で、どうするの?」

三十さいのあかんぼうは、一からやり直すつもりだが、辛抱《しんぼう》できるかい、と言った。

「どの程度の辛抱かによるかな」

妻は言った。

# 31［さい］

スマートだったお前も下腹に贅肉《ぜいにく》がつきはじめた。
一家は郊外の可愛らしい家を手放し、ダウンタウンのアパートに移った。
当然、高級車は売った。
妻は小言は言わなかった。それがお前にとっては一番の支えだ。
三十一さいのあかんぼうは知り合いの伝統あるレストランで働いた。
独創的な事は出来なかったが、基本に忠実に、再び努力した。
前のオーナーの妨害も多少はあったが、でもお前には実力があった。
すぐに新しい出資者《しゅっししゃ》が現れ、店を出さないか、と提案された。
お金に困っていた三十一さいのあかんぼうは、飛びつきたかった。
でも妥協の上で仕事をするのはこりごり。
お前には理念《りねん》というものが芽生えていた。
それにプライドもある。
理念もプライドも、社会で生きていく上ではかなりやっかいなものである。

でも三十一さいのあかんぼうは信念を貫《つらぬ》くことにした。
やれやれ。
年をとるというのは、理念とか信念とか誇りとか、面倒なものが増えるものだ。
だからこそ人生は楽しいのですよ、と今どきのお前は言いそうだな。
まあいいだろう。
仕事は丁寧にやるというお前のモットーのおかげで、店には活気がでた。
シェフが代わって、老舗《しにせ》が蘇《よみがえ》ったと評判になっていった。
よし、努力が実りはじめたな。お前らしい結果の出し方じゃないか。
もちろん、お前には不満だらけだ。
そこで出しているものは大陸的などこにでもある料理だった。
お前が本来目指したい、今までだれも食べたことのない味、というものではない。
でも今は忍耐の時期である。
子供の笑顔に三十一さいのあかんぼうは励まされている。
頑張ろう、とお前は寝言で呟いた。ぐすん、頑張れよ。

# 32［さい］

上の子はもう五さいになった。早い！　もう五さいかね。
下の子は三さいである。なんたる速度。つくしのようだ。
そしてお前は三十二さいのあかんぼうだ。やれやれ。
自分の娘と息子を見ていると、子供時代のことを思い出す。
いじめられっ子で、学校に行くのが嫌だった。
でもこの二人は違う。
肌の色が違うのに、余所《よそ》の国の学校でタフに生きている。
いじめられて帰って来る時もある。
上の子が弟の仕返しに出かけ、相手を怪我《けが》させてしまったこともあった。
お前は妻と謝《あやま》りに行ったが、怪我させたのは男の子で、娘よりも大きかったのだ。
相手の父親は、野蛮人《やばんじん》、と怒鳴《どな》ったが、お前はちょっと鼻が高かった。
積極的にどこにでも出ていこうとする娘を見ていると、誰に似たのだろう、と思う。
物怖《ものお》じしない子供たちは、きっとどこででも、生きていくことができるだろう。

彼らこそ自分の誇りだ、と三十二さいのあかんぼうは思う。
子供たちを抱きしめる。
そしてその温もりに誓う。
必ず成功してみせる、と。必ず蘇ってみせる、とね。
三十二さいのあかんぼうは天を見上げる。
わたしは思わず首をひっこめる。
お前の頰《ほほ》が緩《ゆる》む。
そうだ、そのとおり、お前はまた気がついたね。
まだまだ時間がある、ということに。
未来ははてしなくお前の目前に広がっているじゃないか。
よし、頑張ろう、とお前は自分に言い聞かせる。
そうだ、負けるな！　と私は小声で応援しよう。
子供たちに負けないいくらいタフにならなければ、と妻が呟く。
二人はそっと子供の寝顔に口づける。

# 33［さい］

自分の理念を尊重してくれる出資者と出会い、お前はまた店を持つこととなる。
経営には口を出さない、とその出資者は告げた。
彼は最初の店の常連客だった。
またお前の料理が食べたいと思ったに過ぎない。
まあ、金持ちの道楽でもある。
でもお前は大歓迎。
利益が沢山出れば、店を買い取ってくれても構《かま》わないよ、とその紳士は言った。
人生とは浮き沈みの連続だが、確かに宝くじが当たるような時もある。
今がその時のようだな。
でもウキウキしていては足元をすくわれる。
なんとかこのチャンスを生かさなければ、とお前は心を引き締める。
三十三さいのあかんぼうはシティの中心地に店を出した。
店の名前は、念願だった、自分の名前だ。ブラボー！

いつか儲けて、買い取ってみせる、と願をかけた。
オープンに向けてお前は頑張った。
今までずっとアイデアを温めていた料理をずらりとメニューに並べた。
これはかなりの大冒険。
そこにはトラディショナルなものは、一切ない。いや待て、一つあるな。
母親の定番料理、先祖伝来のニンニクオムレツだ。
「落ち込んだ時はがんがん炒めて、じゃんじゃん食うことさ」
お前は歯を食いしばって頑張った。
ところが、オープン初日から長蛇《ちょうだ》の列。なんと、ほっ、すごいじゃないか。
テレビの取材まで押しかけた。
評判は上々どころか、開店翌日の新聞に、評論家の絶賛の記事が躍った。
おやおや、ホームランだ、すばらしい。
わたしもお前の料理をぜひ食べてみたいものだ。
それにそのスマイルも復活したしね。

# 34［さい］

各種料理雑誌で高得点。
店は数カ月先まで予約でいっぱい。
世界中から客がひっきりなし。
祖国からも記者がやってきて、お前は家族と並んで店の前で記念撮影。
「隠し味はなんですか？」
記者に質問されて、お前はにっこり。
「勿論《もちろん》、この笑顔ですよ、それと家族の愛です」
言ってみたいな、そんな台詞。
オーナーから大金を前借りして、再び郊外に家を買った。
今度はプール付きの家だ。
オーナーも大満足。
彼は純粋なお前のファンに過ぎない。
つまり店はもうじきお前のものになるのだ。

ここまで人生が順調だとさすがにわたしも怖《こわ》くなる。
幸福には同じ大きさの反動が起こるものだからね。
でもお前は用心をした。三十四年間の教訓を生かして。
決して驕《おご》ることもなく、悪口も言わず、謙虚に運営を続けたのだ。
そうだ、そのとおり。謙虚に、が一番だ。
天災でもない限りお前は二度としくじることはないだろう……。
けれども人生なんてものは、どんなに努力しても誰にも予測はできないものだ。
予期せぬ事態が起きた時、そこにお前はいなかった。
目の前のビルがテロにあい、爆破された。
不穏な時代だ、何がおこるか予測は誰にもつかない。
お前の店もめちゃくちゃになったが、幸いなことに死者はでなかった。
それが唯一の救いだな。
今の時代、何が起こるかわからなくなってきたぞ。
わたしだって、ひやひやしているんだ。

# 35［さい］

戦争が起きて、世界中が暗く沈み込んでしまった。
お前は店を建て直さなければならないが、その周辺ではもう店は出せない。
瓦礫《がれき》の山、敵対心、不安、さまざまな出来事が人々をそこから遠ざけた。
出資者の本業にも戦争の影響が出た。
再建は難しい、と謝られた。
お前はまたしても出直さなければならなくなったね。
長女はもう小学校に通っている。
安定した収入が必要だ。
三十五さいのあかんぼうは世界情勢を鑑《かんが》みて、店を出すのは控えることにした。
お前は大ホテルのレストランで働くことになる。
家のローンのこともあったので、安定した仕事が必要だった。
自分の城はしばらくお預《あず》けだ。
それでも、とお前は考える。

まだまだやり直す時間は無限にあるように思えてならない。
三十五さいのあかんぼうは瓦礫に埋もれた店を片づけた。
常連客らに犠牲者が多く出たので、ボランティアにも参加した。
教会に行き、子供たちと一緒に祈った。
妻と子供たちはクリスチャンだったが、お前は相変わらず無宗教だった。
祈りはあるが、信仰が無いだけだ、とお前はいつも言い訳をする。
妻は、信仰を持ちなさいよ、と説得するが、お前は、ああ、と微笑むだけだ。
まあいい、そういうものは強制して入信するものではない。
お前には祈りよりもまず、現実が大きく聳《そび》えていた。
頑張って、人生を立て直さなければならない。
それにしても、お前はいつからそんなに不屈《ふくつ》になったんだい。
倒れても起き上がるガッツをどこで学んだのだろう。
三十五さいのあかんぼうはみんなが寝たあと、夜空に向かって祈りを捧《ささ》げた。
家族をお守り下さい、と胸元で手を組んだ。

# 36［さい］

総料理長が急病で引退をし、お前がその後をついだが、仕事は単調極《きわ》まりない。
部下たちに指示を与えるだけで、料理を作ることから遠ざかり、おもしろくない。
お前の若さで総料理長とは大抜擢《だいばってき》だったが、管理職は退屈だ。
欲求不満を抱えつつ、眠くなるようなルーティーンワークに追われる。
ある程度の名声を手に入れた三十六さいのあかんぼうも気が緩みがちだ。
あれ、おいおい、何やってる?
何やら怪《あや》しい動き。
仕事が終わったのに家には帰らず、夜の街へ。
若くて可愛い女の子を車に乗せて、どこへ行く気かな。
真面目にここまで頑張ってきたのに、すべてを失ってもいいのかい。
可愛い娘と息子はどうする。お前を支えてくれた妻は?
女の子のアパートにもぐりこんで、一夜をともにしてしまう。
そこまでやれる男だとは思ってもみなかったよ。

シャツにつけた口紅が妻に見つかって、お前は家を追い出される。
やれやれ。だから言わないこっちゃない。
でも、その口紅は偶然についたものではない。あの女がわざとつけたものだ。
どうした！　三十六さいのあかんぼうよ。
髪はぼうぼう。髭はちりちり。服はよれよれ。
そのまま若い女と暮らす気かな。
若い女はただお前の名声に群がったにすぎない。
私は悲しいよ。ちゃんと自分を見ろ。そんな若づくりをして、まったく似合ってない。
どうせ、すぐに若い女のエネルギーにはついていけなくなる。
わがままだし、青臭いし、なにより考え方が地に足がついてない。
とてもじゃないが、その女に人生の諸問題を相談できるわけがない。
お前は妻に謝罪した。
でも妻はそう簡単には許さない。当たり前だな。わたしだって許さないぞ。
でもお前の妻は偉《えら》い、月に一度だけ子供に会うことを許してくれた。

# 37［さい］

たった一度の浮気だったが、傷口は大きかった。
何より一番の問題は、妻の信頼をすっかり失ってしまったということだ。
三十七さいのあかんぼうはシティの小さなホテルで暮らしている。
仕方がないのでレストランで遅くまで仕事をしてからホテルに戻るようになる。
子供たちの写真に口づけをして眠る毎日だ。
孤独だな、と思う。
なんて馬鹿なことをしたんだろうと反省をする。
その気持ちを毎日手紙に綴《つづ》って妻に送った。
でも返事はない。
「こういう時は時間が解決してくれるさ。いいかね、若い女には気をつけろ」
離婚を経験したホテルの支配人がアドバイスをする。
「失ってみてその大切さがもっともわかるものが愛だ」
三十七さいのあかんぼうは身に沁《し》みている。

今は仕事に精を出すしかない。そう、そのとおり！

再び精力的に仕事をはじめたお前を、妻と二人の子供が遠くから見ている。

支配人はお前の妻に連絡をし、お前がどんなに頑張っているかを伝えたのだ。

レストランは連日大盛況。

孤独なお前はその寂しさを仕事にぶつけた。

「幸せの味」

と新聞の社説に出た。

でもお前はちっともうれしくない。

そりゃあ、そうだ。

幸福というものは、一緒に喜んでくれる者がいてはじめて光り輝くものなのだから。

仕事が終わって部屋に戻ると、ベッドの上に手紙が置いてある。

娘からである。

「もうすぐ十さいの誕生日。ママが、許すって、言っているよ」

お前はその場にうずくまり、静かに泣いた。

# 38[さい]

世界中がテロの嵐。
悲しいニュースが毎日届けられる。
爆弾があちこちで炸裂《さくれつ》。
命が安売りされている。
人間たちの間から、幸せというものが遠ざかっているよう。
三十八さいのあかんぼうは奮起《ふんき》した。
こういう殺伐《さつばつ》とした時代にこそ、美味《おい》しい料理と笑顔じゃないのか。
お前は支配人に提案して、メニューを新しくしたい、と申し出る。
トラディショナルなホテルの大レストランにしてみると大冒険だ。
でも支配人はお前の仕事を信頼している。
何より、愛の大切さを噛みしめている今のお前なら、と思っている。
ホテルのオーナーと支配人がお前の新しいメニューをテストすることになった。
伝統を覆《くつがえ》すには、説得しかない。

お前はキッチンに立ち、久々、包丁をふるった。
娘と息子と妻のことを考えながら、味付けをしていった。
支配人は一口食べて思わず唸《うな》った。
ホテルのオーナーは笑顔で、これはすごい、と叫んだ。
愛が勝ったわけだ。
めでたし。
秋の特別メニューと題して、ホテルは大々的に宣伝をした。
世界中の香辛料や食材を使い、あらゆる料理の伝統を融和させて生み出した料理。
世界の平和を願って考え出した新しいメニューだ。
いやはや、確かにお前の腕前はすごいよ。
あっと言う間にその年の料理界の話題を攫《さら》った。
料理雑誌はこぞって高得点。中には満点を付けるところまで出た。
今度はお前も心の底からうれしい。
何故かって、それは勿論《もちろん》、一緒に喜んでくれる家族がいるからだ。ほっ。

# 39［さい］

料理界に久々返り咲いたお前の下《もと》に、母親が新しい夫を連れて遊びに来た。
お前は休暇をもらい、車を借りて、国内を案内することにした。
十さいになった息子が一緒についてきた。
母親は孫が可愛くて仕方がない。
でもこの国で生まれた息子には母親の言葉は通じない。
母親は愛情を傾けようとするが、息子には理解ができない。
お前は息子に自分のルーツについて話をする。
自分が生まれた祖国についてはじめてちゃんと話をした。
息子は黙って聞いている。
先祖の森、海、寺、山、川、村、街、人、祭り、四季、などなど。
母親とその新しい夫は何を二人が話しているのか理解ができない。
車が大きな滝のたもとに到着する。
息子はお前の母親の手をとった。

「この国で一番大きな滝だよ。あんなに大きな滝はおばあちゃんの国にある?」

お前の母親はなんとなく理解ができたのだろう、大きく頷いた。

そして大きな山の形を手で拵《こしら》えた。

息子は微笑んだ。

「パパの故郷へ行きたい」

帰りの車の中で息子が言った。

「いつか二人で旅行をしよう」

三十九さいのあかんぼうは生まれ育った故郷のことを思い出した。

自慢するものは何もない小さな街だったが、でも思い出は沢山心に残っていた。

成功するまで故郷には絶対逃げ帰らない、とお前は誓い、頑張ってきた。

「私は鼻が高いよ」

母親がお前の自慢をした。

「母さん、ぼくはね、もうすぐ世界一の料理人になるよ」

お前は息子の前でほんの少し甘えてみせた。

# 40[さい]

四十さいのあかんぼうは人生最大の冒険にでようとしている。
自己資金でレストランを出す計画。
オーナーシェフである。
本当にやりたいことをするには、自分ですべてをやるしかない。
成功する自信はある。
ただ一つの問題は自己資金が少ないということだ。
銀行とかけあい、お金を借りることにした。
妻は慎重だったが、最後はいつだってお前の味方になる。
かくして四十さいのあかんぼうはシティの外《はず》れに小さな小さな店を出した。
もちろん、店の名前は、お前の名前だ。
テロで失ったあの店の再出発となる。
ただし、規模は前の半分。しかもシティのかなり端《はし》。
人通りの少ない船着場に近い倉庫街、左右には大きな倉庫が仁王立《におうだ》ち。

「場所が悪くても味が良ければ人は集まる」、持論《じろん》だ。
自信満々、蓋《ふた》を開けてみたが、今までのようには客は集まらなかった。
時期が悪かった。戦争、テロ、不景気、その他もろもろ。
妥協の嫌いなお前は優秀なスタッフをあちこちから引き抜いて使っていた。
材料もけちらず、最高級の食材を世界中から取り寄せた。
それらが人々の胃に納まらず、冷蔵庫の中で腐《くさ》っていくのは耐えられなかった。
四十さいのあかんぼうの頭の中をさまざまな不安が掠《かす》めていく。
ローン、子供たちの学費、銀行への返済金、などなど。
それでもはじめてしまったのだ、後ろを見てはならない。
四十さいのあかんぼうは努力をした。
誰よりもちょっとだけ長く頑張る、あの昔ながらの方法で。
すぐに客は倍になる、と自分に言い聞かせて頑張った。
けれども頑張っても頑張っても、客足は思ったほどにのびなかった。
新たな苦難のはじまりだ。

# 41［さい］

身を粉《こ》にして働くという言葉通り、四十一さいのあかんぼうは働いた。
その年の料理雑誌の点数は悪くはなかったが、お前は不満だ。
中には「天才にもマンネリというものがあるようだ」と厳しい批評も載った。
ホテルの大レストランで得た満点に近いあの得点も、今や昔の勲章《くんしょう》である。
スタッフは景気の悪い店から逃げ出すように、次々他店に引き抜かれていった。
残ったのは、エリートではなく、不器用な外国人の助手ばかりだった。
料理雑誌に出たことで、近所の客が集まりはじめていたが、都会の客ではなかった。
あいつらはケチャップを好むような連中だ、とお前は鼻で笑った。
お前は少し、腐った。
いつから客を選ぶようになったのかな。
そういうお前を見ているのは、わたしも、お前の妻も、みんな悲しいよ。
うまくいかないと、なんでもかんでも人のせいにしたくなる。
みんなが自分の足を引っぱろうとしている、と考えがちだ。

お前はどじで、へまばかりやる不器用なスタッフを怒鳴《どな》りつけた。
勿論あの一発逆転の笑顔のことなどすっかり忘れてしまっている。
妻ともささいなことで喧嘩をした。最悪！
そうなると料理まで不味《まず》そうに見えてくる。
初心はどこへやった。おい、四十一さいのあかんぼうよ、自惚《うぬぼ》れすぎるなよ。
お前は店が終わって飲み歩くようになった。
またしても若い女に摑まり、夜のバーをはしごした。
自分には遊び心が足りないからだめなんだ、とわけのわからない持論を持ち出して。
ある夜、ふと、倉庫街の一角にささやかな光を発見してしまう。
自分の店じゃないか。泥棒？
お前は忍び足で店の中へ入り、厨房を覗き込んだ。
怒鳴りつけた不器用な助手が居残り、必死に料理の練習をしている。
昔の自分を見ているような気になり、思わず口許が引き締まった。
お前も心を入れ換える時が来たようだな。

# 42[さい]

不器用な人間は確かに仕事が遅いが、けれどもお前を裏切ることはなかった。

手際のいい人間はテキパキと仕事をこなしたが、最後までお前の傍《そば》にはいない。

四十二さいのあかんぼうは、不器用な人間たちを選ぼう、と思った。

彼らと正直に向き合うことでしか、店が再建されないことに気がついたのだ。

お前は怒鳴《どな》るのをやめ、植物を育てるように根気強く水を与え、指導した。

彼らはその愛情を受け止め、頑張った。

給料が払えない月もあったが、誰一人不平を言わなかった。

「みんなジャガイモだ。人間には差がない」

お前は全員を集めて語った。

「少しでもいい料理人を目指したいのなら、人よりちょっとだけ長く努力しろ」

四十二さいのあかんぼうはジャガイモを一つ掴んだ。

「努力した分だけお前は豊かになる」

若い料理人たちの目が輝いた。

もちろん、そんなにすぐ店が繁盛することはない。
何せ、世界は戦争で不景気だし、場末の料理店だし、宣伝能力はない。
地道に頑張るしか方法はないのだ。
お前は妻と相談をし、再び家を手放した。
引っ越しの日、子供たちは泣いた。プールで泳げなくなる。
でも彼らは決して文句は言わなかった。
お前も胸が詰まった。
四十二さいのあかんぼうは誰もいない厨房でジャガイモの皮を剥いた。
そこから自分が始まったことを思い出した。今から二十年も前のことだ。
でもまだたったの二十年じゃないか。
ふと、四十二さいのあかんぼうは気がついた。
そうさ、そのとおり、お前にはまだ時間がある。
まだまだ、沢山時間があるじゃないか。
お前は、家を取り戻してみせる、と自分に誓った。

# 43［さい］

一度ついた評価を覆《くつがえ》らせることほど大変なことはない。
料理の世界では、昔の栄光というものはあまりあてにはならない。
妻は宣伝をしましょうよ、と提案をした。
でも四十三さいのあかんぼうはかぶりをふった。
確かに一度失った栄誉というものはなかなか戻ってきてはくれない。
けれども、奇跡を起こせば、すべては一発逆転となる。
奇跡は宣伝では起こらない。
奇跡の花は、目に見えない努力の上にしか咲かないのだ。
「わかったわ、あなたの言うとおり」
妻は意見を押し込めた。
不安だったが、最後はお前を信じている。
「じゃあ、今のあなたに欠けているものがあるはずね」
四十三さいのあかんぼうは顔をあげて、妻の顔を覗き込む。

「あなたのモットーは何だったっけ？」
第一に、丁寧な仕事。
第二に、勤勉。
第三に、誠実。
第四に、寛大。
第五に、忍耐。
第六に、謙虚。
第七に、友情。
「そして最後にスマイルでしょ」
お前は笑った。そうだよ、それだ。その笑顔。待ってました！
一発逆転のビッグスマイルだ。
お前は妻を抱きしめ、キスをした。
やれやれ。
なんとも恥ずかしい。そんなキス。わたしはいったいどうすればいいんだね。

# 44［さい］

不器用な助手たちの努力も実り、店は徐々に人気が出てきた。
四十四さいのあかんぼうは店が終わった後、居残り、料理の研究を続けた。
ちょっとだけ人よりも長く努力した。なるほど、初心に戻ることはいいことだ。
そして妻の誕生日、お前は家族を店に招待した。
窓際の一番いい席に彼らを座らせ、新しいメニューを並べた。
不器用な助手たちがケーキを拵《こしら》え、歌を歌った。
歌はかなり酷《ひど》いものだったが、微笑みを誘った。
いや、でも、ううむ、かなり酷い。歌まで不器用な連中だったとは。
「私の妻が今日誕生日なんです」
四十四さいのあかんぼうは歌がおわると、そう大きな声で言った。
驚いた客たちが笑顔と拍手を送った。妻は恥ずかしくなり俯《うつむ》いた。
子供たちが母親にプレゼントを渡した。
裕福な時代ではなかったが、お前はそれなりの幸福を噛みしめていた。

その翌月、料理雑誌にこんな評が出た。

「シティからタクシーを使わないと行けないもっとも不便な場所にある、従業員の応対も鈍《にぶ》い、冴《さ》えない店。だが、そこの料理を口にした者は全員まちがいなく幸福になること請《う》け合《あ》い。エレガントで、驚きに満ちていて、魔法のようで、文句の付けようもない、まさに天才だけが生み出せる神様の味。天才の復活に心から拍手を送りたい」

もちろん、料理の得点は三十点。

最高得点である。ブラボー！

シティのどんなレストランよりも高い得点に一番興奮したのは妻だった。

他の雑誌でも高得点が続き、突然店は大繁盛。

でも今のお前はちょっと違う。

幾度の失敗の記憶があるからだ。

自惚《うぬぼ》れるな、とお前は自分に言い聞かせる。

それが今のお前の強みだ。

着実にのしあがっていくがよい。

# 45［さい］

店は大繁盛だったが、一番の財産は成功ではない。
あの不器用な助手たちの成長はすばらしかった。
その時、お前には頼りになる人間が大勢いた。
今度の成功は人を信じることが生み出した成功である。
四十五さいのあかんぼうははじめてそのことに気がついたのだ。
よろしい。回り道だったが、気がつくことが何よりの成果なのである。
経営も妻に任せることにした。
お前は料理に専念できたし、何より、お金の煩《わずら》わしい悩みから解放された。
それにしても、意外なところに才能が隠れ潜《ひそ》んでいたものだ。
長女は大学生、息子は高校生になり、手がかからなくなったこともあった。
時間ができた妻は経営者の道に目覚めたようだ。
妻が最初に決断したことは店の移転であった。
予約は一年先まで入っていたし、勝負に出るのは今だ、と妻は考えた。

お前を信じ、黙って付いてきた妻だ。お前の一番の理解者でもある。
大きなところに移ることに不安は無かった。
どこに行っても、今まで通り、丁寧に仕事を続けるだけだ。
従業員たちもみんなついていてくるだろう。
妻は物件探しをはじめ、さまざまな情報を収集していった。
かくして店はシティのど真ん中に移転することとなった。
百席もある大きな店だった。
豪華《ごうか》なシャンデリアが天井を飾った。
女性らしい繊細《せんさい》なアイデアがいたるところにちりばめられた。
まるで最高級のリゾートホテルのような、とっても優雅なホールが出来た。
キッチンだってぴかぴかだ。
従業員も増やし、その年のクリスマス、グランドオープンとなった。
なんだって？　繁盛したか？
そんなやぼなこと、聞いてはいけません。

# 46[さい]

いやはや、今までの成功など足元に及ばないほどに新しい店は大成功だ。
スターだけではない、大統領までがやってきた。
連日、百を超える席は予約でいっぱい。
国賓《こくひん》だって、世界中から「幸福の味を食べたい」とやってくる。
もちろん予約は一年先までいっぱいである。
でも今のお前には不安はない。
どん底から這《は》い上がったのだ、怖《こわ》いものなど何もなかった。
それに今では信頼できる人間に囲まれて孤独ではない。
妻は水を得た魚というやつで、毎日走り回っている。
大したものだ。マスコミと渡り合い、業界でも頭角《とうかく》を現してきた。
新聞の日曜版に妻の仕事ぶりが紹介された。
タイトルは「夫の料理法」。
助手が頑張っている分、お前は新しい創作に専念できる。

問題がまったくないわけではなかった。
強《し》いてあげれば、息子が落第をしたことだ。
そのことで彼は少しブルーになる。
今まで働くことばかりに時間を取られ、息子と向かい合うことができなかった。
進路について悩んでいる息子を励ますために、お前は休暇を要求した。
もちろん、妻は大賛成だ。
二人は飛行機に乗り、お前の祖国へと飛んだ。
四十六さいのあかんぼうにとっては実に二十三年ぶりの祖国の土である。
お前は母親と会った。
その時、自分の父親という人物がすでに死んでいたことを聞かされた。
特別な感慨《かんがい》というものは無かった。
息子と国内旅行をし、温泉に入り、美味《おい》しいものを食べた。
最後の日、お前は母親から聞いていた父親の墓を息子と訪ねた。
「成功したよ」とその墓石に向かって手を合わせた。

# 47［さい］

店の躍進《やくしん》は止まらなかったが、大きな問題が発生した。

息子が麻薬所持で逮捕されてしまったのだ。

どうやら悪い仲間たちの影響のようである。

希望大学へ入れないストレスから道を踏み外してしまったのだ。

そのことで妻はうちひしがれ、寝込んだ。

さあ、どうする？

叱るか、なぐさめるか？

お前は親として息子と向かい合わなければならなかった。

自分にも不安定な時代があったことを四十七さいのあかんぼうは思い出す。

警察から戻ってきた息子の肩を抱き寄せ、お前と同じ頃にな、と口を開いた。

「十九さいの時、おれも小さなドジをやって、仕事をくびになった。まっくらになったよ。でも、いつも誰かに見られているような気がしていた。おれには信仰はないけど、なんかわかる。人間はみんな神様に見つめられているんだってな。だからおれは毎日祈っている。というのか、感謝してんだ。すばらしい人生をありがとうってな」
四十七さいのあかんぼうよ、お前も立派な父親になったものだ。
わたしを見上げているお前の息子の顔を見ているかぎり、もう大丈夫のようだ。
いいや、大丈夫なんてものは存在しない。
存在とは危《あや》うく、脆《もろ》く、貧弱なものだ。
確かなものなどどこにもない。
すぐに不安定になり、引っ繰り返り、沈んでしまう。
でもだからといって、恐れていては前に進むことができないのが、人生というもの。
四十七さいのあかんぼうにはそのことがわかってきただけだ。
お前は息子にウインクをした。
「まだおれには時間があるっていつも思う。四十七にもなって、いまだに」
息子が笑った。
「お前にはもっともっとおれよりも多くの時間がある」
お前の息子は進学を諦《あきら》め、ジャガイモの皮剝きをはじめた。

# 48［さい］

生活が安定してきたので、母親を呼び寄せることになった。
母親の夫もついてくることになった。
ところが母親と妻は微妙なところでうまが合わない。やれやれ。
母親にとってお前はいつまでもあかんぼうのまんまなのだ。
息子をあかんぼうのように扱う母親をお前の妻は気に入らない。
表面的には仲のいいふりをする二人だが、ギスギスしているのがわかる。
母親にしてみれば、妻は息子を酷使《こくし》して働かせているようにしか見えない。
「そうじゃないんだ母さん」
お前は妻のすばらしさを力説するが、母親は女としては自分が先輩だと思ってる。
お前は妻のためにドアを開け、妻のグラスにシャンパンを注ぐ。
見かねた母親が「昔の女は夫をたてたものです」と騒ぎだす。
やれやれ。本場のレディファーストなんだけど、通じない。
「息子が道を逸《そ》れたり、娘がわがまま放題なのは、母親の責任でしょ」

しばらく会っていなかったせいもある。
母親は寂しかったのだ。
妻にしてみればたまったものではない。
母親の夫はもちろん母親の味方で、黙っているだけである。
家中がぎしぎしと音をたてた。
どうしていいものか、お前にはわからない。
母親にも妻にも恩があった。
母親は慣れない外国生活で苛立《いらだ》っていた。
言葉も通じないし、夫以外母国語ができる人間もいないのだ、仕方がない。
お前は忙しくて、面倒も見ることはできない。
結局、母親は祖国に戻ることとなった。
見送った空港で、身体《からだ》だけは大事にね、と母親は息子を抱きしめた。
理解しあえないものもあることを、お前はその年でまた学んだね。
仕方がないさ、お前はまだ四十八さいのあかんぼうなのだから。

# 49[さい]

世界でも有数のリゾート地に二号店を出す計画が浮上した。
バカンスの時期には都会から大勢の客が集まってくる。
人間とともにレストランも移動をするのがこれからのスタイル、と妻。
港が近く、新鮮で豊富な魚介は魅力だったし、創作意欲も湧く。
お前は一番弟子に本店を任せ、妻としばらくそちらに出向くこととなる。
妻との旅行は久々だった。
ずっと忙しくて、休暇らしい休暇をとったことがなかった。
今回も仕事だが、少しの余裕はある。
多少のんびりしたって誰も文句は言わないさ。
信頼できる弟子たちが店はきりもりしてくれるからだ。
四十九さいのあかんぼうは妻と浜辺を歩いた。
カジノもゴルフもヨットも無縁だった。
いいだろう、そういう人生もある。それはふたりの生き方だ。

光が眩《まぶ》しかった。
ふと見ると、妻の髪に白髪《しらが》が目立った。
忙しくて今まで何もしてやれなかった、とお前はその横顔に囁《ささや》いた。
「何かお前に贈りたいが、ほしいものはあるかね」
もう十分頂いているわ、と妻は微笑んだ。
お前は妻の手を握った。
おやおや、わたしはまた邪魔者かね。
二人は海岸線を歩きつづけた。
美しい夕日だ。覚えておきなさい、この夕日を。
もちろんこのささやかな演出はわたしからのプレゼントだ。ほっほ。
四十九さいのあかんぼうは海岸線を振り返るように人生を振り返ってみた。
いろんなことがあった。
そして目の前にはどこまでも海岸線が続いている。
まだまだ時間がある、とお前は呟いてみる。

# 50［さい］

娘が結婚をすることになった。
相手は同級生で、まだ二十三だ。
多少早すぎるとは思ったが、それは二人が決めたことだ、口出しはできない。
何度か会ったことがある青年だが、肌の色はお前たちとは違う。
青年の親は実業家だった。
結婚式の日、お前たちは相手の家族と向かい合った。
昔、娘の同級生の親に、野蛮人、と怒鳴られたことを思い出した。
自由の国だが、肌の色のことで差別を感じたことも少しはある。
娘に肩身の狭い思いだけはさせたくない、とお前は盛大な結婚式をあげさせた。
もちろん、料理はすべてお前がメニューを考え、弟子たちが拵《こしら》えたものだ。
常連のスターや政治家から花束も届いた。
相手の親は普通の人々で、心配していたような事態にはならなかった。
つつがなく事は終わった。

なのに、その結婚は数カ月の短命なものとなった。やれやれ。
娘は部屋に閉じこもり泣きつづけていた。
理由は言わなかった。
事務的な話し合いが双方の弁護士を通じて行われただけだった。
妻よりも、お前の方が落ち込んだ。
相手の青年に対して激しい怒りを覚えた。
けれども二人で決めたことなのだ、口出しはしなかった。
お前はキッチンに行き、母親譲りの玉子料理を作った。
そうだ、ニンニク入りのオムレツである。
五十さいのあかんぼうは娘の部屋の戸をノックする。
泣きはらした顔で娘が顔を出す。相変わらず昔のままじゃないか。
負けず嫌いの強い子だった。何度も男の子を泣かせて戻ってきた。
お前は笑顔で、料理を手渡す。ごめんね、パパ、と娘は言った。

# 51［さい］

友人の料理人が死んだ。
修業時代からの仲間で、同じように外国から渡ってきていた。
雨の日、葬式に参列した。
黒い傘が墓地を埋めつくした。
偉大な料理人だった、と五十一さいのあかんぼうは追悼文を読み上げた。
葬儀の後、お前は久しぶりに再会した仲間たちと飲みに出掛けた。
料理雑誌での得点が下がったことを苦にした自殺であった。
人ごととは思えない、と誰かが呟いた。
死ぬ数週間前に、友人から電話があったことをお前は思い出す。
「点数や評価ばかりが気になって自分本来の料理ができなくなった」
暗い声だった。
「夢を追いかけていた修業時代が懐かしい」
電話を切る間際、友人はお前に呟いた。

仲間の一人がポケットから修業時代の写真を取り出した。
まだ若く、腹も出てない、野心的な顔の青年たちが厨房に立っている。
死んだ男とお前は肩を組んでいる。
まだ時間はあるのだろうか、お前は考えた。
がむしゃらに走ってきたけど、まだおれに時間はあるのだろうか。
人生というものが恐くなった。
自分が摑んだ成功というものも、一歩間違えれば同じような運命を辿《たど》っていた。
いいや、まだまだ油断は出来ない。
保証など誰にもないし、どこにもない。
五十一さいのあかんぼうは奥歯を嚙みしめ、グラスを呷《あお》った。
雨の街角に、お前はずぶ濡れのホームレスの親子を見つける。
空を見上げると、雨の筋が彼方《かなた》から降り注ぐ。
「みんなが幸せになるのは不可能なことでしょうか」
お前の声がわたしに届けられる。

# 52［さい］

息子は頑張っているが、まだまだである。
自分の若い頃のような急激な成長というものは見受けられない。
弟子たちは厳しく指導しているが、息子の中に多少の甘えもある。
まわりは小さい頃から慣れ親しんだスタッフばかりだ、仕方がない。
一方で、なかなか成長しない自分の能力に、息子も苛立っている。
こっそりとアドバイスをしたいが、甘やかしては駄目になる。
夜遅く、仕事が終わった。
息子は同世代のスタッフらとともに飲みに出掛けた。
五十二さいのあかんぼうは嘆息《たんそく》をこぼす。
翌日、仕事が終わり、帰ろうとする息子を呼び止めた。
「飲みに行こうか、たまには」
息子は驚いたが、喜んでいる。
近所のバーで小一時間ビールを浴びた。

説教などはしない。教えるだけでは届かないものもある。
大事なことは気づかせることだ。
深夜、店の灯がついている。
息子は、こんな時間に、と不審がった。
泥棒かもしれないな、とお前は呟き、こっそりと微笑んだ。
息子は、見てくる、と勇気を出した。
二人はそっと裏口から中に入った。
厨房の中では古参《こさん》の弟子たちが修業に勤《いそ》しんでいる。
一番弟子までがいる。
「おや、忘れものですかい」
一番弟子が微笑み、告げた。
五十二さいのあかんぼうは頷き、ああ、昔のことを少し思い出そうと思ってね。
「昔?」と息子。
「昔の自分をお前に見せたかっただけさ」

CAFE
Hitonari Tsuji

# 53［さい］

テロや戦争はあちこちで繰り返されており、世界経済は貧窮《ひんきゅう》している。
暗いニュースばかりが世間をさわがせている。
人種、宗教の違いによる憎しみが解消されることはないように思える。
自爆《じばく》テロはなくならない。
貧富の差が縮まることもない。
お前はなんとかならないのか、とニュースを見るたびに心を傷めている。
なんとかしてやりたいが、見守ることがわたしの役目でもある。
そうだ、お前をずっと見守ってきたように。
静かに世界中の人間を見つめているだけというのは、大変なことなのだよ。
人類は滅びるかもしれないし、本当の繁栄を摑むかもしれない。
けれども、わたしは口は出さない。
お前が娘の離婚に口出しをしなかったのと同じ理由かもしれないな。
助けることは簡単だが、気がつくことが大事なのだ。

でなければ、同じことを繰り返すだろう。
人類も大事だが、地球も大事なんだ。
見守るということは、今のお前にもとても大事なことだろう。
五十三さいのあかんぼうはじっと息子を見守っている。
生きる力を他人が貸すことはできない。
五十三さいのあかんぼうは救いの手を出さない。
それは愛がないからではない。そうだ、そのとおり。
息子は余所の店に修業に出ることになった。
それはお前が仕向けたのではない、息子が自分で言いだしたことだ。
どうやら、やっと、気がついたようだな。
しかし、今以上の試練が息子には待っている。そうだ、きっと待っている。
けれども生き物には掟《おきて》がある。
誰もが一人で生まれ、一人で死ぬのだ。
救いの手を自分の中に探すより、この世界で生きる術《すべ》はない。

# 54［さい］

シティの店もリゾート地の店も大繁盛。
安定した評価と実績が続いている。
しかしその安定の裏側には絶え間ない努力がある。
五十四さいのあかんぼうは気を緩めることはない。
顧客を満足させるために日夜努力を重ねている。
彼はいまや本場で押しも押されぬ大料理人となった。
銀行には腐るほどの預金ができた。
郊外の一等地に数千坪の敷地を持つ屋敷がある。
妻はさらに新しい店を海をもう一つ越えた国の首都に出そうとしている。
妻のバイタリティは凄まじい。
生き甲斐《がい》というものをしっかりと見つけ、脂が乗っている。
人生山あり谷ありだが、お前が幸せであることにはまちがいはない。
料理人を目指す者なら誰もが憧《あこが》れる人物となった。

謙虚で、努力家で、人当たりもいい。
誰からも陰口を言われることもない。
当然、敵も少ない。
けれども五十四さいのあかんぼうは何かがひっかかる。
この幸福はいつまで続くのだろう。
自分にはあとどのくらい時間が残っているのだろう。
お前は仕事に出る前にリビングルームでテレビをつけた。
自爆テロや戦争の映像が流される。
ここは幸福だが、食事も満足に摂《と》れない不幸な地域も拡大している。
貧富の差はどんどん広がっていく。
高級料理だけを出してきた自分の道を振り返る。
けれども自分は一介《いっかい》の料理人だ、何もできない、とお前は首をふる。
幸福なのに、心に開いた小さな穴凹《あなぼこ》が埋《う》まらない。
お前はたまらずテレビを消す。

# 55［さい］

母親が死んだという知らせが届いた。
五十五さいのあかんぼうは妻と子供たちを連れて祖国へと飛んだ。
親の死に目にあえなかった。
五十五さいの息子には大きな後悔が残った。
母親は幸福だったのだろうか、と柩《ひつぎ》を見つめて考えた。
走馬灯のように子供の頃のことが思い出された。
母親にはいろいろなことを学んだ。
忘れられないのが尻のふきかただった。
誰もが自分で尻をふかなければならない。それが人生というものだ。
「いいかい、ぼうや、綺麗にお尻がふけるようになったら一人前よ」
頑張って生きることができたのも、母親の教えがあったからだった。
そして辛い時は、いつも、母親伝授《でんじゅ》のニンニクオムレツを拵《こしら》えて乗り切った。
五十五さいのあかんぼうは母親の前ではいつまでもあかんぼうだ。

それは何もお前だけのことではない。
人間はいつまでもあかんぼうなのだ。
はじまりはあかんぼうだったということだ。
そして死ぬ間際《まぎわ》、またあかんぼうに戻る。
お前は柩に抱きつき、はばかることなく泣いた。
「産んでくれてありがとう」と叫んでいた。
泣いているお前を見るのは娘も息子もはじめてのことだ。
「今の自分があるのは、母さんのおかげだった」とお前は号泣した。
五十五さいのあかんぼうは子供たちに母親の偉大さについて語った。
その母親に恩を返せなかった。ぐすん。
お前の妻は、優しくできなかったことを後悔していた。ぐすん、ぐすん。
母親の夫が二人の前にやってきて、最期は笑顔でしたよ、と言った。
お前もお前の妻も少しだけ救われたような気になった。
火葬場の煙突から煙が手を振るように別れを惜しんでたなびいていた。

# 56［さい］

お前の娘が再婚をすることになった。
相手はなんと、不器用だった一番弟子だ。ほっほ。
でも女性を口説くのは不器用ではなかったようだな。
いいや、そうじゃない。口説いたのはお前の娘の方らしい。
逞《たくま》しい娘である。
彼女は前進している。
不器用なあの男こそ、世界一誠実な男であることを彼女は見抜いた。
娘とは一回り以上年が離れているが、お前は当然反対はしなかった。
むしろ、あの男なら、娘は一生幸せなはずだ。
久しぶりに娘の笑顔を見ることができて、お前はうれしい。
妻は二人にリゾート地の店を任せよう、と言いだした。
わたしもグッドアイデアだと思うな。いいじゃないか、そうしよう。
ファミリー経営というわけだ。

ささやかな結婚式をあげた直後、今度は娘のお腹に子供がいることがわかる。
孫だよ、わかるかい、お前に初孫が出来たのさ。
やれやれ、お前さん、おじいちゃんになるのかい？
元気が無かった五十六さいのあかんぼうにあのすばらしい笑みが戻る。
そうだ、その笑顔だよ。
辛い時代だからこそ、笑顔が必要なんだ。
五十六さいのあかんぼうは気がついた。
悲しい時代だからこそ、笑顔が必要なんだ、と。
昼のランチに「本日のスマイル」を復活させた。シェフのおすすめ料理のことさ。
みんなが食べおわった後に、思わず微笑みたくなるような料理ばかり。
母親譲りのニンニクのオムレツも登場となった。
今では娘と息子の大好物である。
そこに物事の基本がある、と五十六さいのあかんぼうはやっと気がついたのだ。
笑う門《かど》には福来る。

# 57［さい］

娘夫婦に男の子が生まれた。
元気なあかんぼうだ。
やっぱり泣いて生まれてきた。
オギャー
オギャー
いやはや、とにかく大きな泣き声だ。
あかんぼうが泣いているというのに、覗き込んでいる大人たちはみんな笑っている。
もう覚えてはいないだろうが、お前が生まれた時にもお前の両親は笑っていた。
泣いて出てきたのに、何故か笑って出迎えられる。
人生がどれほど苦しく、大変なものかをみんな知っているくせに笑うだなんて。
しかもあかんぼうは泣いているのだよ。
わたしは不思議で仕方がない。
泣いているのに、笑っている。

ぎゃあぎゃあ、泣き叫んでいるというのに、親は丈夫な子だ、と微笑んでいる。
あかんぼうが不安なのはしょうがない。
そして親や祖父母がうれしいのもしょうがない。
家族が増えることを喜ばない者はいない。
そのあかんぼうに自分たちの愛が遺伝しているのだから、自然に微笑みが零《こぼ》れる。
五十七さいのあかんぼうは孫を抱き上げた。
星空を見上げ、母さん、孫が生まれたよ、と報告をした。
しょうがない、わたしの出番だ。
特大の流れ星を夜空に過《よぎ》らせてみせようか。
娘が、流れ星よ、と指さした。
「急いで願い事をするんだよ!」
妻が叫んだ。
五十七さいのあかんぼうは、この子の幸せ、と祈った。
泣き声はわたしの下《もと》にまで届いているよ。

# 58［さい］

修業に出ていた息子が戻ってきた。
息子はもう二十九さいになっている。
早いねえ。あっという間だ。
しかもちゃんとしごかれて立派に成長している。
息子が作ったまかない料理に弟子たちも舌を巻いた。
「さすが、蛙《かえる》の子は蛙だ」
お前もさすがにうれしい。
風貌《ふうぼう》も性格も若い頃の自分に似てきた。
それに貫禄もついてきた。
這い上がってきた息子には、今度は愛が必要だ。
お前はお前の持てるすべての技術を息子に伝授した。
息子の呑《の》み込《こ》みは早かった。
どんどん息子は吸収し、あっという間に、お前を追い抜いてしまう。

いいや、そんな簡単に経験は追い越されない。
でもお前にはわかるのだ、まもなく、息子の時代が来ることが。
いつまでも厨房にいては、若い連中の足手まといになるだけだ、ということが。
上が居座っては下がのびない。これは世界の常識である。
世界的になったこの店にも新風が必要なのだ。
娘婿と息子とは兄弟のような関係だ。
そして娘はお前の妻の仕事を覚えようとしている。
この店は次の時代にも繁栄を続けるだろう。
お前は六十を前に、引退を考えている。
なんだか、わたしは寂しいな。まだまだお前さん働ける年齢なのにさ。
それにお前には技術と経験があるじゃないか。何かやってくれよ、ぱーっつっつっと。
五十八さいのあかんぼうは厨房からホールをじっと見つめる。
満足そうに息子たちが作った料理を食べる客の笑顔が見える。
それが幸福というものだ、とお前は噛みしめている。

# 59［さい］

妻は世界中を飛び回り、各大陸に一軒ずつ店を出していく計画を進めた。
祖国にも店を出すことになり、お前は指導に出掛けた。
凱旋《がいせん》帰国という感じだ。
母親の葬儀の時とは打って変わって、それは盛大な帰国となった。
何せ、暗い時代に明るい話題を振りまいているのだから。
どのメディアも英雄のような扱いだった。
でも浮かれているのはいつだって、外側に過ぎない。
五十九さいのあかんぼうは、波の一つ一つに動揺する年齢ではない。
何より、お前には揺るぎない自信がある。
世界中の料理評論家やセレブや政治家や国賓や国王が舌を巻く人物なのだから。
お前は妻とともに、テレビ出演、講演会、新聞の取材に応じた。
ほとんど妻が代弁をし、お前は基本的にはうなずくだけだ。
時々、母親のことを話し、ニンニクオムレツのことを懐かしむ程度。

塩加減や、ダシの取り方について、ちょっと話すだけである。
でもそこにこそ真理がある。
お前が無口であればあるほど、世界はお前を巨人と見なす。
妻の郷里に招かれた時のことだ。
道端で野菜を売っている男を目撃した。何故か野菜が光ったような気がした。
思わず車を停めて、トマトを買った。
みずみずしい果物のようなトマトだった。
これもうまいよ、と男は言った。
キャベツは甘く、ネギは辛く、レモンはすっぱかった。
どれも都会では食べたことのない、イキイキとした味の野菜ばかりであった。
「なんでこんなに美味《おい》しいのかね」
五十九さいのあかんぼうは質問をした。
男はにこりと微笑み、化粧をしていないからですよ、だんな、と答えた。
化粧とはむろん料理のことである。お前はまたしても気がついてしまった。

# 60［さい］

世界はまたしても緊張が高まり、ついには戦争となった。
何度も何度も小競《こぜ》り合いが続いていた地域が発端だった。やれやれ。
ほんとうに人類というものは懲《こ》りない生き物だとわたしは思う。
正義という言葉を信じすぎる。
都合のいい正義ばかりが横行《おうこう》している。
それで何かあればわたしのことを引っ張りだして、正当化しようとする。
まったく、自分勝手な動物だよ。
この地球という星で生きているのはお前らだけではない。
動物も魚も爬虫類《はちゅうるい》も、それに昆虫も、いいや微生物だっているのだ。
ところが、わが六十さいのあかんぼうは地球のことを考えはじめていた。
彼は妻に休業を宣言し、祖国で知り合った農夫の下《もと》に弟子入りをした。
六十さいだったが、まだ老人というわけではなかった。そうだ、そのとおり。
体力には自信もあった。

畑を耕すことだってできる。

自分の理念は息子たちが受け継いだので、店の運営からは引退することにした。

なんでもそうだが、思い立ったらすぐに行動を起こすのがお前のいいところだ。

妻は猛反対だったが、お前は微笑んでみせた。

もちろん、妻が最後はお前の味方になることをわかっての、計算ずくである。

弟子にしてくれ、と頼み込んだ農夫の男は戸惑《とまど》ったが、快諾《かいだく》してくれた。

「いいですか、だんな、うまい野菜というものは、頭のいい人間を作りあげるのとは訳が違う。うまい野菜とは本質もすばらしい野菜のことを言います」

見栄《みば》えの悪い野菜の方が美味《おい》しかった。

泥まみれの逞しい野菜の方がうまいのだ。なるほど、言えている。

「いくら頭がよくても、争い好きな馬鹿者じゃあ、地球は滅びる」農夫は笑った。

「緑は緑、青は青、赤は赤です。でも全部混ぜると美味しいサラダになる」

春夏秋冬、六十さいのあかんぼうは鍬《くわ》や鋤《すき》を振り下ろしつづけた。

まったくお前は何を考えているんだかな。ほっほ！

# 61［さい］

収穫の年になった。
赤も緑も青もそれはそれはとても美味《おい》しかった。
農夫の家で出される料理はほとんど調理されていないものばかりだった。
塩と煮汁、それに祖国の伝統的な大豆のソースだけである。
米は米、麦は麦、野菜は野菜、果物は果物の甘みが生きていた。
それはいままで彼が作ってきた料理とはまったく別の食べ物だった。
みずみずしい青野菜が口の中でしゃきしゃきと音をたてた。
噛めば噛むほどに味が滲《にじ》んだ。うーん、おいしそうだ！
様々な野菜を使ったスープは胃に優しかった。
ハーブの天ぷらは軽く塩を振って、ばりばりと音をたてて食べた。
ジャガイモもブロッコリーも茹《ゆ》でて、ホクホクしながら食べた。
「ああ、なんておいしいのだ」
六十一さいのあかんぼうは思わず声をもらしてしまう。

農夫は笑っている。
「自分で育てた野菜は格別でしょ、だんな」
日が昇ってから沈むまで、六十一さいのあかんぼうは働いた。
そこには究極の真理があった。
ついでに、自分の調理法が若干《じゃっかん》間違えていたことにお前は気がついた。
料理をする、のと、料理をさせてもらう、のとでは意味が違う。
料理とは本来あるもののよいところを引き出すことなのだ、とお前は考えた。
そのためには自分の農園がいる。
自分で野菜の生長を見つづけなければならない。
その野菜一つ一つと会話し、野菜本来の良さを知って調理しなければならない。
六十一さいのあかんぼうは農夫を雇《やと》うことにした。
大陸の肥沃《ひよく》な土地に農園を作ることにしたのだ。
そこで栽培された野菜だけを使ったレストランを開店するために。
ほっほ、なるほどな、面白いアイデアじゃないか。

# 62［さい］

二人目の孫が生まれたのとほぼ前後して息子も結婚をした。
相手はブロンドの可愛い子だ。
この子も店で働いていた従業員で、しかもお前の妻のお気に入り。
嫁と姑《しゅうとめ》が仲良しというのはいいことだ。
ファミリーがどんどん固まって結束していく。
初孫はすでに五さいになった。
やれやれ、ホントに人間というものは成長が早い。どんどんどんどんだ。
お前の名前を冠《かん》したレストランは全世界に広がって成功を収めている。
まあ、夢が叶《かな》ったわけだが、お前はそれほど楽しそうではない。なんで？
どうやらお前はすでに新しい夢を発見して、そっちに夢中になりつつあるな。
夢というものはそういうものかもしれないね、発見し、開拓し、また発見する。
摑んでしまうと、その先を夢見たくなるのが、人間というものである。
農場は機械化せず人間の力で育てることができる範囲のものとなった。

農夫の一家がそこに移住し、お前は彼らの保護者となった。
無農薬、有機栽培。もちろん遺伝子組み換え作物ではない。
しかも彼らは一つ一つの野菜に愛情を込めて育てた。
そんな野菜はこの大陸にはない。
何もせずに、水洗いをして、ビネガーをちょっと振りかけただけで御馳走《ごちそう》になる。
お前は水を探した。世界一美味しい水をね。
それからお前は塩を探した。世界一美味しい塩だ。
それらが集まった頃に、新しい店の骨子《こつし》ができた。
もちろん宣伝戦略なりなんなり面倒なことはすべてお前の妻が編《あ》み出した。
再び一号店をシティのど真ん中に出す計画が浮上した。
今度の店の名前はなんというのかな。え、なんだって?
ほお、さすが、愛妻家。今度は妻の名前と来たか。
優しい響きのする可愛らしいレストランになるだろう。
お前は農夫の一家と田舎に引きこもり、また一年、野菜と向かい合った。

# 63[さい]

妻の名前を冠した新しい店はとってもこぢんまりとしている。
けれども戦争やテロが繰り返されるこの時代にはかなり新鮮に受け止められた。
なんといってもイキイキとした本物の野菜たちが食べられる。
それも今まで食べたことがないくらいに美味《おい》しいのだ。
ファーストフードに慣れた人々には驚きの味であった。
前菜のトマトにはただ塩がかかっているだけだったが、これがうまい！
一口食べたものたちは、驚嘆の声をはりあげた。
なんでこんなに美味しいの？
これはどこで買えるんだね。質問が飛び交う。
六十三さいのあかんぼうは、どこでも買うことはできません、と首をふった。
「このレストランだけのために栽培している、本物の野菜なのです」
「じゃあ、何か特別な技術があるはずだ」
お前はにっこりと微笑んでこう答える。

「ええ、話しかけています。それこそ最高の肥料《ひりょう》なんです」

客は誰もが目を丸くする。

「それも一年中、話しかけているんですよ」

キャベツはとろけるように甘く、セロリは感動するくらいに苦い。

それらで作ったスープはこの世のものとは思えない、と料理雑誌が持ち上げた。

「あれは料理ではない」と酷評《こくひょう》する評論家も出たが、お前は気にしない。

これこそ究極の料理なのだ、と胸を張る。

何よりお客は大感動だ。

とれた野菜でメニューが決まるために、何が出るかは収穫に影響される。

それがまた話題となった。妻の作戦どおり、料理雑誌はこうかき立てた。

「ファーストフード全盛の時代に、この天才は超スローフードボールで料理界に挑戦をしかけてきた。暗い話題ばかりのこの世界に、人間や生き物の本質を問いかけるような大胆な試み。店を出る時に、満腹なのは胃袋だけではない。なんと、心も精神も魂も全部がいっぱいになる究極の料理の出現だ！」

# 64［さい］

新しい店の二号店を出そうというアイデアも起きた。
でも、六十四さいのあかんぼうは首をきっぱりと真横に振ってみせた。
「料理人が、本当に責任を持つことができる店は生涯でただ一軒だけだ」
自分の名前を冠した店は大きくなりすぎた。
それはファミリーや弟子たちのためだから、仕方がない。
でも、この妻の名前を冠した店は自分の店だ。
ここだけは時代の流れに乗せたくはない。
「流行というのは虚《むな》しいものだ。
流行は所詮《しょせん》、流れていく雲に過ぎない。
そこに空があることを忘れるな。
流行を追いかける者は最後は流行に滅ぼされる運命なのだ」
お前は家族を前に力説する。
偉くなったものだ。ほっほ、洟垂《はなた》れ小僧だったくせに！

そりゃあそうだ、お前はすでに、六十四さいのあかんぼうなのだから。
野心家の息子は残念がったが、でも最後は妻同様、納得する。
何より、すべてはこの偉大な父親が考え、行動し、手に入れたものなのだから。
父の思う通りにやらせたい、とみんな納得をした。
妻もそろそろ仕事の多くを娘に譲ろうと考えている。
仕事に復帰したがっている娘にノウハウを教え、自分も第一線を退く意向だ。
夫の傍で彼を支えて残りの人生を生きていこうと思いはじめている。
「自分の名前のついたレストランは、確かに一軒だけでいいのかもしれないわ」
それがいい。お前たちはよく頑張った。少しのんびりとやりなさい。
三十五さいになった息子は今や料理界の寵児《ちょうじ》だ。
六十四さいのあかんぼうはまるで昔の自分を見るようにびくびくしてしまう。
自分が経験した荒波を息子はこれからいやというほど味わうはずだ。
「流行と戦って疲れたら、私の店に食事に来なさい」
六十四さいのあかんぼうは三十五さいの息子にそう言った。

# 65［さい］

息子にも子供が生まれた。
女の子である。
嫁と同じブロンドだった。
プレイボーイの息子はその直後、浮気が発覚。
嫁は子供を連れて実家に帰った。
やれやれ。いろんなことが次から次と起きるものだ人生とは。
六十五さいのあかんぼうは息子を呼び出した。
「分かっているよ、父さん。おれが悪かったんだ、ちゃんと謝るから」
ところがだ、息子は戻ってきた嫁を今度は殴りつけた。
離婚の訴訟が起こり、それがちょっとしたスキャンダルとなった。
息子の料理人としての腕前は悪くはないが、人間としてはちょっと問題がある。
暴力はいけない。
それでは戦争を繰り返す無能な連中と一緒である。

根気強く話しあうことが大切だ、とお前は息子を叱った。
何より原因はお前にあるのに、暴力を振るうとは何事か。
お前の息子は天狗《てんぐ》になっていた。
自分一人の力で成功を手に入れたと勘違いしてしまったのだ。
離婚訴訟は回避されたが、お前の妻は心労で寝込んでしまった。
息子を呼び出し、自分が浮気をして家を追い出された時の苦い経験談を話した。
信頼を回復するまでに一年もかかったこと、その間の孤独を語った。
息子は黙って聞いているが、どうかな、わかっているのだろうか。
これでわからなければ店を畳《たた》むしかない、とお前は腹を括《くく》った。
人間の絆《きずな》の大切さを失っては、幸福の味は受け継《つ》げない。
スキャンダルのせいで本店の客足が翳《かげ》った。
息子はようやく気がつき、謝りに行った。
でも嫁は許さなかった。
簡単に許してはならない、と裏でお前が知恵を付けていたのだ。

# 66［さい］

息子のスキャンダルや長引く不況のせいでレストランの経営は悪化した。
せっかくここまで頑張ってやってきたが、大きくなりすぎたのだ、とお前は悟った。
大手の商社が経営に参加してもよい、と申し出た。まあ、乗っとりとも言える。
潰《つぶ》すのは簡単だったが、長年働いてくれた従業員たちのこともある。
簡単には閉めることはできなかった。
妻と相談し、リゾート地の店を切り離し、娘夫婦に売却し、温存させた。
妻の名前を冠《かんむり》にした店は最後の牙城《がじょう》だ、これも切り離すことにした。
残りの店舗を大手商社との共同経営という形に移行させることにした。
その条件は以下の通り。
レストランの名前を使った缶詰、レトルト商品をライセンス生産することへの許可。
大衆レストランのチェーン店化の許可。もちろん冠にお前の名前が使われる。
料理学校への協力などなど。お前は表向き名誉会長という、客寄せパンダになる。
まるでお前にとっては屈辱的な終戦調停案のようである。

でも、お前は我慢した。
娘婿にリゾート地のレストランの名前を変えさせた。
自分が起こした店だったが、娘婿の名前を店の冠にさせることにした。
チェーン店と一緒くたにさせないための苦肉《くにく》の策である。
経営の悪化を招く原因を作った息子には一つだけいいことが起きた。
塞《ふさ》ぎ込んでいた息子の下《もと》に女房と子供が帰ってきたのだ。
しかし愛さえあれば、人間はまたやり直すことができる。
息子にとっては、今、その若さで気がつくことができたのだから、幸運であった。
お前こそが一番打撃を受けたが、お前には妻と妻の名を冠した店が残っている。
いくつもの荒波を潜り抜けてきたお前だ、大した問題ではない。
名前を売ったことには恥を感じるが、それもすべて家族のためだ、諦めよう。
お前は六十六さいのあかんぼうである。
足を開いて通りに立ち、夜空を見上げてお前はこう自分に言い聞かせた。
「湯水のようではないが、まだまだおれには時間があるじゃないか」

# 67［さい］

息子はチェーン店の総料理長の話を断り、お前の下で働くことになった。
プライドも栄誉《えいよ》もすべて捨てて、一から修業をしなおす、と申し出てきた。
今さら教えることはない、と断ったが、息子は聞かなかった。
まあ、いいじゃないか。お前の息子は彼なりに心を入れ換えたつもりなのだ。
「一人の見えざる客と対峙《たいじ》しなさい」
六十七さいのあかんぼうはそう息子に教えた。
それが教えるべきすべてのことであった。
妻の名前を冠した店だけは順調であった。
厨房にはお前と息子がいた。
ホールには妻と息子の嫁がいた。
あとは若い見習いが数名いるだけであった。
もうしばらく頑張れということですね、とお前はわたしに向かって言った。
まあ、そういうことだね、家族のためにもう一働きだ。

お前は息子に基本を一から徹底的に教えていった。

さらには農園に息子を連れていき、最初の一年は畑仕事をやらせた。

「料理人はその食材がどのように育っていくのかを知る必要がある」

農夫はお前に教えたように、野菜の美しさ、すばらしさ、を伝えていった。

農園と店との往復で息子は大変だったが、今は努力するしかないだろう。

一つの野菜にどれほどの時間と愛情がかかっているのかを知ることは大事だった。

「人間も同じですよ。いい人間とは頭がいい人間のことではないでしょ、だんな」

農夫は同じことを繰り返した。

「それぞれの良さを知ることです。世界のそれぞれ、野菜のそれぞれ、ね」

息子にもなにがしかの影響を与えたようであった。

食べることは生きることだ、とお前は知っている。

それはお前の母親が生前、お前に教えた一番基本的なことでもある。

今、息子がそのことにようやく気がついた。

でも遅すぎるということはない。まだ彼にも時間は十分にあるのだから。

# 68［さい］

店は息子夫婦がきりもりをするようになったので、時間が出来た。
で、老夫婦は祖国を旅することにした。ほっほ、いいねえ。
最初に祖国を飛び出してから四十五年もの歳月が流れている。
幼い頃の記憶というものは消えないもの。
民族の繋《つな》がりというものに触れるたび、どこからともなく涙が湧き出てくる。
懐かしい顔がそこら中に溢れているのだから仕方ない。
娘や息子の顔つきはすでに外国人の顔であった。
孫たちはもっと祖国から遠い顔になるだろう。
でも自分たちにとって祖国はただ一つ。
「墓はどっちに建てる?」と妻。
六十八さいのあかんぼうは、子供らの国に、と答えた。
「あら、祖国を捨てる気?」
「だって、墓が傍《そば》になければ、残った者たちは寂しいだろ」

二人は谷間の温泉地の宿に泊まった。

はじめての土地だったが、懐かしかった。

ノスタルジアというものだ。

「それにしても長く生きたわね」妻が言った。

「ああ、でもまだまだ生きるつもりだよ」とお前は答えた。

静かな時間が流れている。

二人にとっては本当に久しぶりの休暇である。

次から次にいろんなことが起きた。

「あとどのくらい生きられるのかしら」

「どのくらいだろう。神様に聞いてみないとわからない」

「神様?」妻が笑った。

「信仰に入る気があるなら、神様を紹介してもいいわよ」

六十八さいのあかんぼうは微笑んだ。

「ああ、いずれ、死ぬときが来たら相談するかもしれないね」

# 69［さい］

厨房に立っていると急に体調が悪くなって、お前は倒れてしまった。
原因不明の病気で、六十九さいのあかんぼうは入院することになる。
やれやれ、だから言わないこっちゃない。
無理をしすぎたんだよ、若くもないくせに。
大勢の人間が見舞いにやってきた。
娘一家、息子一家、弟子たちの家族、仕事仲間、農夫の一家、その他大勢。
お前の妻が、本人が疲れるからと制限をするほどに人々は押し寄せた。
ニュースにもなったほどだ。
それでさらにいろんなところから花だの電報だの見舞金だのが届いた。
お前の料理のファンは世界中にいる。
それはお前がこの国で地道に歩いてきた成果でもある。
まだまだ長生きをしないとね、と妻はお前を励ました。
二人は手を握り合う。

お前の傍にはいつだって妻がいる。
苦しい時も幸福な時も、同じ顔があった。
まじまじと妻の顔を覗き込んでみる。
つるつるだった顔にも皺《しわ》が目立っている。
年を取るということはそういうことだ。
すべての人間に老化は押し寄せてくる。
でもお前はその皺の一本一本をいとおしくなぞることができる。
苦労させた分だけ、皺があるのだ。
つまりそれも二人が歩いてきた道のりということであろう。
「すぐに元気になるから心配するな」
六十九さいのあかんぼうは妻を励ました。
そうだ、そのとおり。
二人は励まし合って生きてきた。
ああ、なんだかちょっとうらやましい。そう思っているのはわたしだけかな？

# 70［さい］

退院したが昔のような元気はない。
いつ病気が再発するかわからないからだ。
もしかすると明日ころりと死んでしまうかもしれない、と不安になる。
自分のいなくなった世界とはどんなものだろう、と想像しては恐くなる。
まだまだいろいろとやりたいことがある。やり残したこともある。
でもそれを許さないのが死というものだ。そうだ、そのとおり。
死とはなんだろう、とお前は考える。
どこへ行くことになるのだろう。
病気をして倒れてから、そのことばかりを考えている。
ふと目が覚めると、隣に妻がいなかった。
「おい、どこにいる？」
お前は廊下に出て、妻の名前を叫んだ。
あるいは寝ている間に死んでしまって、霊界《れいかい》に来てしまったのだろうか。

誰もいないというのはおかしい。
手伝いの者も、庭師も、息子夫婦も誰もいないのだ。
お前は階段の手すりに摑まって、心細く階下へと下りていく。
玄関ホールで立ち止まりぐるりを見回すが、やはり誰もいない。
カタ、と音がした。振り返ると、そこに幼い孫がいる。
長女の一番下の娘である。
でも、この子はいつ、どうやってあのリゾート地から来たのだ？
「ママとパパはどうした？」
孫娘は近づいてきて、お前の手を摑んでひっぱった。
孫娘はホールの扉をそっとおしあけた。大勢の人影……。
盛大な拍手と割れんばかりの歓声が静寂を打ち破る。
「ハッピーバースディおじいちゃん、七十さいの誕生日おめでとう」
そうだよ、すっかり忘れてた、今日はお前の七十回目の誕生日だった。
本当によく生きたな、わたしも心からおめでとうを言わせてもらおう。

# 71［さい］

七十一さいのあかんぼうは完全に復調した。
アルコールは控え、無理をしない生活をはじめた。
もちろん、妻の厳しい監視付きだ。
あれしちゃいけない、これ食べてはいけない、と小うるさい。
でも長生きをするためには従わなければならないようだ。
厨房に立ちたいのに立たせてはもらえないのが唯一の不満のようだな、やれやれ。
息子は真面目に働いている。
それはそうだ、また子供が生まれたのだ。
子供のことを思うと、一生懸命働こうと思う、と息子はお前に打ち明けた。
よしよし、それこそが幸福の味の一番の秘伝なのである。
息子の嫁は育児と店のきりもりを上手にこなしている。
もちろん、お前の妻が孫の面倒を見る。家族とはうまく出来ている。
午後、嫁が子供たちを連れて家にやってくる。

それから嫁は店の開店の準備に出かける。
夜、嫁がやってきて子供たちをピックアップする。
その間、母親替わりはお前の妻の役目だ。
六十八になったお前の妻の今の楽しみは孫との時間。もう仕事に未練はない。
孫と遊ぶ妻をじっと見つめて、お前も心が休まる。
こういうのを幸福と言わず、なんというのだろう。いいねえ、すてきだな。
お前は暖炉《だんろ》の前のソファに深々と腰を下ろし、微笑んでいる。にやにやしちゃって。
髪にも白髪が随分と目立つようになった。
孫がやってきてお前の膝《ひざ》の上に乗る。妻は驚く。
「あら、おじいちゃんは身体《からだ》が弱いから跳《は》ねたらだめよ」
跳ねるな、と言われたら、子供は跳ねる。
お前は暴れる孫を抱きしめる。
若々しい人間の生命エネルギーが伝わってくる。
ここにも時間が湯水のようにある、とお前はうれしくなった。

# 72［さい］

外国の国王の晩餐会《ばんさんかい》でお前は料理を作ることになった。
政府の人間がやってきて、国王があなたの料理を食べたがっている、と伝えた。
迎賓館《げいひんかん》の厨房にかつての弟子たちを総動員させることとなった。
久々に血沸き肉踊る大仕事である。
七十二さいのあかんぼうはメニューを考えた。
もちろん、お前の自慢の農園から新鮮な野菜が届けられる。
かくして晩餐会ははじまった。
百人を超える料理人たちが、二百人ものゲストのために料理を拵《こしら》える。
厨房は上へ下への大騒ぎだ。
七十二さいのあかんぼうは昔のように大声でスタッフに檄《げき》を飛ばした。
厨房に活気が出る。息子も妻も感動ものだ。
料理が国王の前に次々に出されていった。
ヒラメのカルパッチョはオリーブオイルと塩がかかっているだけだが絶品だった。

焼き蛤《はまぐり》は殻《から》ごと炭火で焼いたために、真っ黒な塊《かたまり》で出てきた。
白いお皿に真っ黒な物体がごろごろ。
国王に対して失礼ではないのか、と政府の人間は顔を強張《こわば》らせた。
ところが殻を開けた途端、会場に潮の香りが立ち込めた。
そして中からは生まれたてのあかんぼうのような蛤の身が現れたのだ。
汁を一口、蛤をつるり、国王は思わず、唸り声をあげた。
おいしいものを知り尽くした国王だけに、本物のおいしさがわかるのだ。
スズキのポワレは油を使わず、鉄板の上でかりかりになるまで皮を焼いた。
しかも身は引っ繰り返し余熱でゆっくりじっくり火を通しただけの究極の品。
ソースなど使わない、ちょっと塩がまぶされただけだったが、これがうまい！
そして最後のメイン料理に一同、目が点になる。
それはお前が誇る農園でとれた旬《しゅん》の野菜の温かいサラダだ。
国王の口の中で野菜たちが歌を歌う。
ああ、なんともすばらしい晩餐会だった。わたしも大満足だ。ブラボー！

Hitonari
Tsuji

# 73［さい］

晩餐会の話題は全世界に広がった。
「究極の料理人」とお前のことを国王は呼んだ。
それが世界中へと配信されたのだ。
聞きつけた大統領が、今度は世界中の首脳たちが集まるサミットの料理を依頼した。
世界各国のリーダーたちが集《つど》う重要な会議の前の、昼食会だ。
お前は国王の時に出した料理とはまた少し異なったメニューを考え出した。
それは誰もが思いつかない本当に究極の料理。うう、なんだろうな。待ち遠しい。
なんと、それは前菜から最後のメインまですべてが野菜で作られていた。
野菜のうま味を最大限利用した、スープ、テリーヌ、煮込み、ハーブの天ぷら。
長引く戦争やテロの影響で世界的に食材が不足していた。
出てきた野菜の品数の多さ、そしてその新鮮さには誰もが目を見張った。
七十三さいのあかんぼうは最後にサラダを用意した。
大きなボールに入れられたミックスサラダが人々の中央にどんと置かれた。

大統領に呼ばれてお前は姿を見せた。

一同は拍手でお前を出迎えた。

「とてもすばらしい料理だったが、どうして最後にサラダなのかね」

と大統領が微笑みを交えながら質問をした。

「私の究極の願いが込められた料理なのです」

一同が七十三さいのあかんぼうを見つめた。

「このミックスサラダに使われている野菜の数は、現在地球上に存在する国の数と同じです。それだけの種類の野菜を育てるには、物凄く長い時間と忍耐と愛情が必要とされます。私は、まだ地球上にこれほど美味《おい》しい野菜がこんなにも沢山残っていることを皆さんに伝えたかっただけです。絶滅しかけた野菜も中には含まれています。一つ一つの野菜にはそれぞれに主張や色や歯触り、苦み、甘み、辛みがあります。しかしこうやって上手に混ぜ合わせることで、この丸いボールの中ですべてが一つに溶け合って、愛と幸福の味を産むのです。私が言いたいことは、ただそれだけであります」

大国のリーダーたちは静かに頷き、お前はお辞儀をして退席した。

## 74［さい］

本当の料理とは何か、とお前は考えている。
けれども答えなどはない。
高い値段がついた高級料理が美味《おい》しいのは当たり前だ。
お前はまたもやテレビで飢餓《きが》に苦しむ人々の映像を見ている。
やせ細った胃袋がぱんぱんになるほどに美味しい料理を食べさせたい、と思った。
そして思わず涙が零《こぼ》れた。
戦場が拡大し、大勢の兵士たちが死んでいった。
爆弾が炸裂《さくれつ》し、罪もない市民が大勢亡くなった。
国内にも失業者があふれ、貧しい地域では、誰もが飢えていた。
こういう時代だからこそ美味しい料理がみんなを幸福にさせるのだ。
憎しみや妬《ねた》みや怒りを一杯のスープが和《やわ》らげることができるかもしれない。
料理人としての能力を神様に与えられたのだ、と七十四さいのあかんぼうは考えた。
今度はわたしが小さく頷く。「そうだ、そのとおり」

この力で一人でも多くの人を幸福にさせたい。
なるほど、それでどうする気かな。
お前はまたもや思いつき、ボランティアで焚《た》き出しをはじめた。
日曜日、家のない人々の集会所へ出掛け、野菜スープを作った。
次の日曜日、親のない子供たちのところに行き、野菜ケーキを作った。
さらに次の日曜日、戦争で傷ついた兵士たちのところに行き、野菜のパンを配った。
贅沢《ぜいたく》な食材は使っていないが、愛情は込めている。
気がつくと、毎日曜日、お前は貧しい地区の広場に立って、料理をはじめた。
すぐに行列が出来たが、ありつけない人間が文句を言いだした。
そして彼の目の前で争いを起こしてしまった。
食べ物のうらみは怖《こわ》い。
ささいなことで血も流れる。
次の日曜日、七十四さいのあかんぼうは自分の無力さを知り、寝込んでいた。
やれやれ、世界はお前が思ったよりも、うんと飢えているのだよ。

# 75［さい］

しかしお前は諦めない。
ボランティア団体の力も借りて、もう少し公平にスープを配る方法はないかと模索。
若いボランティアの人間が行列を整理した。
同じ人間が二度並ばないように、整理券が配られた。
喧嘩が起きないように見張りが立った。
ようやく公平に料理が配られるようになっていった。戦後処理のように。
お前を呼びたい、とあちこちから声がかかった。
老人ホームから、少年刑務所から、飢餓救済センターから、災害救援団体から。
様々な団体や、赤十字、国連から。
ボランティアレストランはあちこちへと赴《おもむ》くようになった。
もちろん、ある時から、横には妻がいた。
「だって、あなたが倒れるといけないから、わたしは見張りよ」
信仰のある彼女は、夫のしていることを正しいと判断している。

でもこんなに長く続くとは、正直、最初は思ってもいなかった。
なぜなら、夫には信仰がないからだ。
でも、それはどうでもいいことだよ。祈りさえあればわたしには理解できる。
どこに行っても長い行列が出来た。
私財をなげうってのボランティアだった。
財産など残しても仕方がない、とお前は妻に説明した。
妻は微笑んだだけだったが、いつまでも私財が続かないことを彼女は知っていた。
ところがそのうち様々な人々から寄付が集まりはじめた。
マスコミがお前のことをまたいろいろとかき立てたせいもある。
世界中からお前は呼び出されるようになった。
世界一の料理人が無料で奉仕する料理だ、招かれないわけはない。
体力の限り、戦争がなくなるまで続けたい、とお前は張り切った。
一人ではじめたことだったが、それは次第に形になっていった。
「幸せの野戦レストラン」と人々はお前のことを呼んだ。

# 76［さい］

ある紛争《ふんそう》地域でのことだ。
いつもテレビで見ていた、あの自爆テロが繰り返されていた土地である。
お前がそこにやって来ることはニュースで誰もが知っていた。
けれどもその数日前にそこで自爆テロが起きた。
大勢の人間が死に、そのことで報復《ほうふく》が行われた。
もう何千回と繰り返されてきた争いだ。
誰が悪いとか何が悪いとかは、もうとっくにみんなわからなくなっている。
七十六さいのあかんぼうはそのど真ん中に「幸せの野戦レストラン」を開いた。
危険なので許可はできない、と片方の政府が言った。
何が起きても我々のせいではない、ともう片方の政府が言った。
お前はしかしそこでスープを拵《こしら》えた。
大量の野菜で拵えた心温まる優しいスープである。
血なまぐさい戦場に一時、なんとも言えない美味《おい》しい香りが充満《じゅうまん》した。

それはわたしがおこした風によって、血なまぐさい街中へと広がっていく。
銃を構えている兵士たちのお腹が鳴った。
不安げに様子をうかがっていた市民たちのお腹も鳴った。
ジャーナリストや紛争監視員のお腹さえも鳴った。
妻は叫んだ。
「さあ、どうぞ！　めしあがれ」
突然どこからともなく皿を持った人々がやってきた。
ボランティアの人間がスープを両方の兵士たちに届けた。
誰もが空腹を癒《いや》した。
身体中が温まり、ようやく心にも血が流れた。
こんなに美味しいスープは飲んだことがない、と人々は口にした。
強張っていた彼らの顔に笑みが戻った。
そして食事の間だけは、銃声が鳴りやんだ。本当に奇跡のように。
ほんの一瞬のことだったかもしれないが、その瞬間死ぬものはいなかった。

# 77［さい］

娘の上の子が徴兵制《ちょうへいせい》によって、戦争に駆《か》り出されることとなった。
娘も妻もショックで落ち込んでいる。
でも兵役はこの国の国民の義務である。
国民である以上、国の方針に従わざるを得ない、と娘婿は厳しい顔で言った。
孫はまだ子供の顔をしている。
娘も娘婿もお前の妻も、みんな不安。
機関銃を持って戦地へ赴くのかと思うと、七十七さいのあかんぼうもやりきれない。
「国のためだから仕方がない」
孫の父親、つまり娘婿はそう言った。
娘は泣いている。
自由というものは決してタダではない。
自由を戦い勝ち取ってきたこの国の国民はそう信じているようだ。
ある朝、孫から電話がかかってきた。

「これから戦争へ出掛けてきます」

お前は、しっかりな、無茶はするな、とそれだけ伝えた。

学生らの集会でお前は「食べることは人間の本質です」と訴えた。

「食べる瞬間だけは苦しみや争いごとや痛みを忘れることができる。人さまの、その食事の一時をどれほど豊かにできるかが料理人に与えられた役目なのです」

大勢の学生たちがお前の講演に耳を傾けている。

「泣いているあかんぼうを黙らせることができるのは、マシンガンや爆弾ではありません、母親のお乳だけなのです。同じように絶望している人間を勇気づけることができるのは温かい食事かもしれません。私はそういう仕事に就《つ》くことができて誇りに思っています」

学生たちが拍手をした。

「私の孫はみなさんと同世代ですが、昨日、戦場へと出ていきました」

会場が静まり返った。

「最後は祈ることしかできないのでしょうか」

# 78［さい］

長い人生には苦しく辛い出来事が沢山ある。
まるで我慢大会のように、人生には様々な苦難が降りかかるものだ。
お前はその持ち前のガッツでそれらをすべて乗り越えてきた。よし。
あらゆる火の粉を払いのけて前進してきた。すばらしかったよ。
この七十八年間、歯を食いしばって戦ってきたのだ。確かによく頑張った。
けれども、そんなお前でも絶対に乗り越えることができない苦しみもある。
いくらお前がタフでも、今度ばかりは……。
お前はうちひしがれた。
絶望した。
起き上がることすらできない。かわいそうに。
あまりに悲しすぎて、お前さん、涙さえ出ない。わたしだって辛いよ。
呼吸をするたびに肉が骨からむしり取られそうになる。
それでもお前はなんとか家長として人々の前に立った。

子供や弟子たちの苦しみを背負わなければならないからだ。
彼女のすばらしい人生を見届けなければならないからだ。
送り出すのは辛いが、またいつか会える、と呪文《じゅもん》のように自分に言い聞かせている。
ああ、それにしてもなんという悲劇だろう。かわいそうで見ていられない。
七十八さいのあかんぼうにはあまりにも辛い出来事だ。
予期せずやってくる悲しみに対して、お前はあまりにも無防備であった。
こんなことが起こるだなんて。
これからどうやって残りの人生を乗り越えていけばいいのか、お前にはわからない。
たった一人でどうやって生きていくことができるというのだ。
想像するだけでわたしももらい泣きしてしまう。ほんとうに悲しすぎるよ。
何を見ても、何を触っても、何を感じても、お前は泣いた。
だだっ広いベッドで一人で起きては泣き、眠れずにまた泣いた。
何もかもが悲しく、まったく何もすることができない。
人生とはどうしてこんなにも残酷なのでしょう、とお前は天に向かってむせび泣く。

# 79［さい］

妻の死から一年が経《た》ったが、お前はまだ悲しみに暮れている。
いるべき人がいないことで、毎朝起きるたびに途方に暮れてしまう。
どこかに妻がいるような気がして、お前はつい名前を呼んでしまう。
廊下に出て探し回る。
風呂場やキッチンを覗いては、声の限り、妻の名を叫んだ。
一日中、半狂乱のようになって、探し回ったこともあった。
かけつけた息子に、母さんはもういないんだよ、父さん、と抱きしめられた。
「いないとはどういうことだ。なんであいつはおれを置き去りにするんだ」
お前の訴えは人々、家族、弟子たちの悲しみを誘う。
悲しみは時間が癒す、と誰もが思った。
けれども、いくら時間でもそう簡単に癒すことができない悲しみだってあるんだよ。
お前は真夜中にうなされて跳ね起き、闇に向かって妻の名前を呼ぶ。
しかし、いくら待っても返事は戻ってこない。

「あんなにピンピンしていたのに、なんであんなに呆気《あっけ》なく死ぬんだ」
自分の方が先に逝《い》くとお前は思って安心していただけに、この苦しみは途方もない。
すっかりやせ細って、死んでしまいそうな窶《やつ》れ具合じゃないか。
子供たちが心配して、交代で泊まり込んだ。
とくに息子の妻が献身的にお前の世話をした。
けれどもお前の心にできた穴が埋まることはない。
お前は人生を振り返る。
その どの場面にも妻はいた。
どの瞬間にも妻の笑顔があった。
あらゆる時、お前は妻と二人で人生の意味を学んだ。
世界でただ一人のパートナーであり、魂の片割れであり、人生そのものであった。
手をつないでカウチでテレビを見ているだけで幸福だった。
一緒にお腹と背中をくっつけて寝ているだけで幸せであった。
何もせずとも、傍に、ただじっと、いるだけで幸せであった。

# 80［さい］

八十さいのあかんぼうの悲しみが癒されることはない。

あらゆる気力は失われたままである。

レストランに出掛けても、厨房に立つことはない。

毎日曜日に行っていたボランティアをすることもできなくなった。

講演会も旅行も晩餐会にも出掛けることはない。

ただじっと家に閉じ籠もり、妻を探しつづけている。

それが今や日課なのだ。

バスルームや寝室のクローゼットやガレージや屋根裏をお前は彷徨《さまよ》った。

「おい、いないのか?」

リビングや廊下や玄関ホールや客室や庭先を歩き回った。

「おい、いないのか!」

パジャマ姿で町中を彷徨い、すれ違う人々に妻のことを聞いて回る。

「すまんが、妻を見なかったかね」

人々は最初驚き、目を丸くしたが、すぐにその目は涙で包まれた。
「いいえ、だんな、見ませんでしたよ」
八十さいの哀れなあかんぼうはうなだれ、再び歩きはじめる。
娘は父親を医者に連れていった。
処方された睡眠薬をお前は大量に飲んでしまった。なんて馬鹿なことを！
幸い吐《は》いたので事なきを得たが、家族は焦《あせ》る。やれやれ。
お前にとっては、生きることは苦痛以外のなにものでもない。
妻がいたからこそ頑張ることができた。そうだ、そのとおり。
それが愛というものであった。そうさ、そのとおりだ。
あのスマイルも。
あのガッツも、実際、すべて妻に向けられていたのだ。
「おじいちゃん、八十さいのお誕生日おめでとう」
孫たちが元気づけようと集まり、お前の誕生日を祝った。
お前は目をきょろきょろとさせて、そこにいるべきただ一人の人間を探していた。

# 81［さい］

妻が死んだ年よりも、その翌年、さらにそのまた翌年の方が辛かった。
八十一さいになったあかんぼうはまだまだ悲しみの中にいる。
ようやく妻の死を認識できたが、その分、悲しい現実を受け入れることになった。
どうしてこんなに悲しい人生が待ちうけていたのか、とお前は神をうらんだ。
可哀相だが、わたしはどうしてあげることもできないのだよ。
それが運命というものであり、生き物の定めというものだからだ。
でも、きっとお前はこの最大の悲しみを乗り越えることができるだろう。
八十一さいのあかんぼうは妻の墓参りをした。
墓石に向かって、ようやく、感謝の言葉を投げかけることができるようになった。
少しずつ、少しずつ、そうやって死を受け止めていくがよい。
悲しみは癒されるものではないだろうが、共に生きていくことはできる。
墓参りから戻ってくると、玄関先に一人の若い女性が立っていた。
お前は妻が帰ってきた、と錯覚した。

若い頃の妻に似ていたからだ。

出会ったばかりの頃の妻に。

「おじいちゃん」

孫娘は十九さいになっていた。

妻の遺伝子がそこかしこに受け継がれているのだ。

「おじいちゃん、わたし今度結婚することになったのよ」

孫娘は走ってきて、お前に抱きついた。

お前は静かに孫娘を抱きしめる。

懐かしい記憶が雪のように降ってくる。

「そうか、おめでとう」

孫娘はそのことを伝えるためにリゾート地から出てきたのである。

夜、孫娘はお前のために料理を拵《こしら》えた。

面影《おもかげ》を嚙みしめながら、娘が拵えたニンニク入りのオムレツを食べた。

母親から妻へ、妻から娘へ、娘から孫へと受け継がれた一族の味であった。

# 82［さい］

孫娘に子供が生まれた。
つまりその子はお前の曾孫《ひまご》ということになる。
お前は飛行機に乗って南の街へと飛んだ。
娘夫婦が経営するレストランは繁盛していた。
入り口にはお前の特大の写真が飾られている。
若いコックたちも客もみんなお前を見て緊張をした。
お前は白髭を蓄え、杖をついて、店の中を見回した。
美しいテーブルクロス、鮮やかな柄の食器、香り高い料理が目に止まった。
そして誰もが幸福そうな顔で食事をしていた。
厨房は綺麗に使われており、お前の精神はきちんと受け継がれていた。
曾孫を抱えた孫娘がやってきた。
相手の男性の皮膚の色はまたしても違っていた。
だから曾孫の皮膚の色も複雑な色合いだ。

そう、まるでお前が作ったミックスサラダのように。
でもそこにもお前たち夫婦の血がきちんと受け継がれている。
「抱いてみてください」
孫娘の夫が言った。
お前が抱くと、曾孫が泣きだした。
オギャー、オギャー。
お前は微笑み、いい子だね、よしよし、とあやした。
背後から大人たちが曾孫を覗き込み、笑顔を向けた。
泣いている子はそのうちわかるだろう。
どうして大人たちが笑っているのかを。
笑っている大人たちもなんとなくわかっているはずだ。
どうしてあかんぼうが泣いているのかを。
それが人生というものだ。そうだ、そのとおり。
八十二さいのあかんぼうは少しだけ人生の仕組みを理解することができた。

# 83［さい］

悲しみが癒えることはないが、お前は新しい命の誕生によって救われた。
娘と息子は話し合い、しばらくの間、お前を南の街で療養させることにした。
お前は娘夫婦の家で暮らすこととなる。
それがいいだろう。そうしなさい。
孫が使っていた部屋があいていた。そこなら思い出に怯《おび》えることはない。
懐かしさに心を引き裂かれることもない。
何せ、娘の夫は一番弟子だ。
頑《かたく》なで不器用な男だが、お前のことを本当の父親のように思っている。
そこではなんの気兼ねも必要ない。
しかも街は一年中暖かく、青い海も近い。
杖を使わないと歩けないが、まだまだ遠出はできる。
昔、妻と歩いた海岸線をお前は今一人で歩いている。
どこまでも続く、あの美しい海岸線だ。

八十三さいのあかんぼうは途中で立ち止まり、振り返る。
背後に続く海岸線は過去。
そして前方に続く海岸線は未来だ。
お前はふと考える、まだまだ自分には時間があるのだろうか。
これから自分はいったいどこへ向かうのだろうか。
風が吹いた。
さわやかな一陣の風だ。覚えているかい？　あの時の風だよ。
お前は目を細め、水平線を見つめた。
この降り注ぐ光をかつて妻と一緒に眺めた。
お前の中には妻の記憶がしっかりと残っている。
記憶こそが、死者を生かし続けることができる。
お前は、妻がまだ傍にいるということに気がついた。
妻が自分の中でまだ生きているということに気がついた。
自分が生きている限り妻も共にここにあるのだ、とやっと悟ることができた。

# 84［さい］

曾孫と遊ぶ。
曾孫との日々はお前にとっては楽しい。
何より曾孫には未来がある。
限りない時間がある。
未来のある人間を見ていると元気が出る。
人生は大変だが、乗り越えていけば生き甲斐が生まれる。
いいや大変だからこそ、人生はすばらしいということだってできるさ。
お前は曾孫に微笑みかけながら、頑張れよ、と囁く。
曾孫はすでにハイハイが出来るようになった。可愛いじゃないか。
もうじき立ち上がるだろう。
そうやって一つ一つ何かを摑んでいくのだ、人間というものは。
お前は曾孫の高さまで跪《ひざまず》き、よし、いい子だ、頑張れ、と声援を送った。
五十七さいになったお前の娘はかつてのお前の妻のように笑顔が絶えない。

二十二さいになったお前の孫娘もかつてのお前の妻のように優しい。
二さいになったお前の曾孫もかつてのお前の妻のようにガッツがある。
曾孫はテーブルの足に手をついて、立ち上がった。よし、頑張れ。
そしてなんと、なんと次の瞬間、手を離して歩きはじめおった。ほっほ！
八十四さいのあかんぼうは笑った。
久しぶりのスマイルじゃないか。
「すごい、おい、見たか。歩いた。歩いたぞ」
娘が写真を撮った。
孫娘が手を打って、ここまで来なさい、と声を張り上げる。
お前は久しぶりの幸福を味わっている。
八十四さいのあかんぼうは心の中にいる妻に向かって、お前の曾孫だよ、と教える。
窓から光が差し込む、美しい光。
その光の中を曾孫は、よちよちよちよち、歩いた。
八十四さいのあかんぼうは手を叩いて、曾孫の成長を祝った。

# 85［さい］

再びどこからともなく気力というものがわいてきた。
曾孫を見ているうちに、元気が出てきたのだ。やれやれ、よかった。
今では亡くなった妻と一つの体を分け合っていると思えるまでになった。
お前はまたしても人生の試練を乗り越えることができた。そして成長をしたのだ。
いったいいくつまでお前は前進をするのだろうな。でもそれでこそ、お前だよ。
週に一度、娘夫婦の店を覗きに行くようになった。
曾孫の散歩に付き合って、午後のランチの時にだけ。
厨房には七十さいを越えた娘婿がいた。
かつての一番弟子だが、今やこの地区の名士だ。
そしてその厨房を任されているのが、ほお、なるほど、孫娘の夫だ。
まだ三十代の青年だが、筋はいい。
何より勤勉で努力家だ。
彼は南の国の出身なので、スパイスにはちょっとうるさい。

いっそうサラダの味が複雑になっていくな。楽しみだ。

祖国から連れてきた農夫は国に戻ったが、その子供たちが農園を管理している。農園で作られた野菜はこのリゾート地の店にも届けられる。

お前が蒔《ま》いた種がどんどん生長して、広がって、実って、立派に育っていく。それは実にすばらしい愛の結実とも言えるだろうな。

一族、愛弟子《まなでし》たち、農夫の子供たちが集まって、お前の八十五さいを祝った。それはそれは賑やかなパーティとなった。いや、ほんとうに賑やかだ。

娘夫婦に息子夫婦、その子供たちに、その子供。すさまじい人数。

愛弟子たちの家族、農夫の家族、そしてまた若いコックたちまで。ほっほ！

リゾート地の店に入りきれないくらいの人々が集まってお前の健康を祝った。

お前はみんなの前にひっぱりだされ、マイクを手渡される。

大勢の人間がお前に注目だ。さあ、何か言わなければならないぞ。

「私の隣には妻がいますが、ちゃんと見えているかね」

一同は盛大な拍手と笑いを送った。よし、わたしも拍手を送ろう。ブラボー。

# 86［さい］

人類はまだなんとか持ちこたえている。
戦争は依然《いぜん》なくならないが、調停と和解が繰り返されている。
何度もの握手と何度もの殴り合いが繰り返され、うらみや憎しみは癒されるものだ。
うらみや憎しみは一晩では消えない、孫子の代まで続くもの。
和解までには膨大な時間を必要とする。
けれども努力をしなければ、ますます酷くなるばかりだ。前進はない。
うらみや憎しみは力では制圧できないからね。
八十六さいのあかんぼうはテレビの前でいつもそんなことを考えている。
そして自分に出来ることの限界にいつもため息が出る。
ソファの上で遊んでいる曾孫の時代に、この地上から争いがなくなるとは思えない。
恐竜が滅びたように人類も滅びるのかもしれない。
ある日、戦争に出ていた孫が帰還した。
中尉にまで昇進していたが、毒ガス攻撃で神経をやられての帰還だった。

医学の進歩で孫は回復へと向かっていたが、軍隊に戻ることはもうなかった。二十代後半に差しかかった孫には、仕事の口がない。

それで料理人を目指すことになる。お前は孫のために久しぶりに厨房に立った。傷ついた元兵士の孫に、彼が最初に拵《こしら》えた料理は、ニンニク入りのオムレツである。

「溶いて混ぜ合わせた一ダースの玉子にダシ汁、砂糖、白ワイン、塩、祖国の大豆液汁、セサミオイル、バター、秘伝《ひでん》の調味料で味付けをする。なるべく泡がたたないように、優しく混ぜるのだよ。特大サイズの厚手鍋にオリーブオイルを引き、ニンニクをたっぷりと転がし、弱火で揚げる。香りが十分移ったら、そこに先ほどの味付けした玉子を流し入れ、木篦《きべら》で休むことなくかき寄せるんだ。楕円形の大きなオムレツができてくる。さらに弱火で煮詰めていくと玉子は汗をかくように煮汁をたらす、それをおたまで掬《すく》っては上からかけて、オムレツに吸わせていくんだ。何度も何度も根気強く煮汁を玉子に吸わせていく。こつは、気長に、やることだ。気長に。和平交渉と一緒だな。さあ、ひっくり返して、底がきつね色になったらできあがり。これが私のママから教わったニンニク入りのオムレツだよ、我が家伝来の元気の素《もと》だ」

# 87［さい］

幾つになってもやるべきことというのはなくならない。
八十七さいのあかんぼうは毎日午後の一時《いっとき》を帰還兵の孫のために捧げた。
お前は持てるすべての力を傷ついた孫のために使うことにする。
料理人が覚えなければならないことはごまんとある。
塩の選び方、ダシの作り方、魚の捌《さば》き方。
パンの焼き方、スープの作り方、包丁の使い方。
きりがない。
けれども時間を失った孫のためには、気長に、というわけにはいかないのだ。
それに自分にもそろそろ時間が足らなくなってきた。
元気なうちに知っていることをすべて教える必要があった。
毎日が大特訓となる。
お前は鬼のような顔つきで孫と向き合った。いやそれはすさまじい気迫だ。
火加減、味加減、甘さ、苦み、しょっぱさ、とにかくすべてを教えていった。

教えている間、お前は、これまでにもないほどの生き甲斐を覚えていた。
はじめてジャガイモの皮を剝いた時のことを思い出した。
はじめて盛りつけを任された時のことを思い出した。
はじめて総料理長に褒《ほ》められた時のことを思い出した。
はじめて海を越え、異国のレストランの門を叩いた時のことを思い出した。
はじめて妻のために作った料理のことを思い出した。
はじめて自分の店を持った時のことを思い出した。
はじめてオリジナルのレシピを作った時のことを思い出した。
はじめて客に褒められた時のことを思い出した。
孫に料理を教えながら、八十七さいのあかんぼうは自分の人生を振り返る。
いい人生だった、と思わず口許が緩んでしまう。ほっ。
「どうしたんですか、おじいちゃん」
孫がお前の横顔に質問をする。
「なんでもない。ただ人生とはまんざら捨てたもんじゃない、ということだよ」

孫もなんとか料理人としてスタートを切ることができた。やれやれ、よかった。
ということは、その帰還兵の孫こそお前の最後の弟子ということになる。
それだけにお前は真剣に教えたつもりだ。
でも、その弟子が厨房という舞台に上がってしまった今、お前の役目も一段落。
足腰が弱ってきたお前はシティにもどるかどうかを考えはじめた。
いつまでも娘夫婦の世話になっているわけにもいかないからな。
それに孫が帰ってきたのだ、自分が使っている部屋を彼に譲らなければならない。
娘は、いつまでもここにいてほしいの、と言う。
けれどもお前には妻との思い出を育《はぐく》んだあの家がある。
妻の名前を冠したレストランもある。
そこを守っている息子夫婦のことも気になる。
足腰が動かなくなる前にシティにもどらなければ、一生ここから動けなくなる。
ここは死ぬには最高の場所だが、まだまだやるべきことがあるように思う。

お前は荷物を纏《まと》めて、飛行機に乗った。
久しぶりのわが家だった。
屋敷は、主人不在の間、息子夫婦がずっと守っていた。
ドアを開けたとたん、思い出が心の谷間に広がった。
玄関もリビングも寝室もキッチンも昔のままである。
昔雇っていた手伝いの女性や庭師がもどってきた。
みんな老けていたが、優しさや心遣いは昔のままだ。
シティにお前がもどってきたというニュースはすぐに界隈《かいわい》に広がった。
息子がとり仕切る店にも懐かしい人々が押し寄せるようになる。
お前の写真はやはり玄関に飾られている。
料理人の白衣を着て、腕組みをしている少し若い時期の写真だ。
「恥ずかしいからはずしておくれ」
息子にこっそりと耳打ちをした。
でも息子は、駄目だよ、ここは父さんの店だ、と譲らなかった。

# 89［さい］

六十さいの息子には三人の子供がいた。
一番下の子はまだ十代の若者だった。
この子と一番上の子が料理人を目指していた。
二人ともシティの大きなレストランで働いている。
真ん中の子は母親の仕事を受け継いで、店の運営を手伝っていた。
上の二人の子供たちにはそれぞれ二人ずつ子供がいた。
全員が揃うと、まさに一族という感じであった。
全員が飲食業に従事していることになる。
やはりここでも蛙《かえる》の子は蛙であった。
二人の孫の結婚相手はそれぞれ、皮膚も髪の毛も目の色もすべて異なっている。
ここでも美味《おい》しいミックスサラダの出来上がり。
健康維持のために、お前は午後、必ず一度、店に顔をだす。
そして一番奥の窓際の席に腰を下ろす。

食事をしている人々を見ながら、一服。
時々気づいた客が会釈《えしゃく》をした。
「わたしの両親が、サーの大ファンでした。昔よく食べに行ったものです」
お前は微笑み、ありがとう、と呟いた。
心は元気だが、思うように口が動かない。
いいや口ばかりではない、足も手もどれもこれもゆっくりだ。
仕方がないのでお前は口許に笑みを拵え、微笑んでみせる。
「もう料理をされることはないのですか」
年配の紳士に質問された。
お前は小さく頷き、息子や孫は立派です、と答えた。
相手の紳士は大きく頷き、その通りですな、と答えた。まったく、そのとおり。
杖をつき、八十九さいのあかんぼうは家路についた。
店から家まで一時間かけてのんびりと歩いて帰る。
何も急ぐことはないのだ。そうさ、なにも急ぐことはない。

# 90［さい］

九十さいのあかんぼうの九十回目の誕生日は盛大に行われた。
リゾート地からも一族が駆けつけた。
娘夫婦に息子夫婦、その子供たち夫婦に曾孫たち。
さらにはかつての弟子とその家族。
わたしがざっと数えたところ、ええと、三十人は超える数だ。
お前はリビングの中央に腰を下ろし、食べて笑う人々を眺めた。
妻と自分とが愛し合った結果がここにある、とお前は思った。
はじめてこの国に渡ってきて、ここに根を下ろした結果が彼らであった。
わたしの個人的な意見だが、これはとてもすばらしいこと、じゃないのかな。
一番小さな曾孫が走り回っている。
どの孫の子だったか、お前はすぐに思い出せない。
名前もすぐには出てこない。
肌の色で母親や父親の見当をつけてみる。

やれやれ、こうしてみると人生ってものは面白い。

あらためて、感動をするよ。ほっほ！

曾孫の一人が椅子に座って動かないお前の前にやってくる。

小さな曾孫はじっとお前を見つめる。

お前も見つめ返す。

「九十年って長かったの？　それとも短かったの？」

お前は微笑み、長かったし、短かったよ、と答えた。

じゃあ、と曾孫は呟き、楽しかったの？　それとも大変だった？　と質問した。

お前はもう一度微笑み、楽しかったし、大変だったさ、と答えた。

じゃあ、後悔している？　それとも満足しているの？　と訊《たず》ねた。

「もちろん、後悔もしているし、満足はしていないよ」

え、と曾孫は驚いた。

お前は腹の底から笑いだした。

「間違えた。その反対ですよ。後悔はしていない。それにとても満足しているよ」

LOVE
Feb.2.2003

# 91［さい］

まだまだ時間がある。
九十一さいのあかんぼうはそう考えはじめている。
百二十さいまで生きることができそうな気がしてならない。
九十一さいにもなってまだそんな風に考えている自分が不思議でならない。
いいや、お前だけではない、わたしも不思議である。
お前は夜、屋敷の庭に出て空を見上げている。
「あのう、いいですかな」
お前は夜空に向かっておもむろにそう言いだした。
そうだ、確かに、そう言った。なになになに？？？
ほ、驚いたな。
「そこにいるんでしょ。あの、いつも私を見ているあなた様にお話があるのです」
いやはや、見つかっていたのか。こっそり見ていたつもりだったのに。
「私のような者があなた様のような偉い方にこうやって質問をするのは無礼なことだ

と重々承知しているのですが、一つ、聞いてもよろしいでしょうか」

わたしは流れ星を過らせた。

「その、いったいわたしはいつ人生に満足できるのでしょうな」

わたしは黙ってお前を見下ろしている。

すっかり老《ふ》けたお前が必死で天空を見上げている。

「いいえ、実はわかっているのです。そういうことを聞いてみたのも、本当はわかっているからなのでしょう。ただあなた様に私は話しかけてみたかっただけなのです」

九十一さいのあかんぼうは小さくお辞儀をすると踵《きびす》を返した。

それから屋敷の中へと入っていった。

暖炉の傍のソファに腰かけ、目を瞑《つぶ》った。

間もなくイビキが聞こえてきた。

テレビでは相変わらずニュースが流れている。

災害地から奇跡的に救出されたあかんぼうのニュースである。

やはりあかんぼうは力の限り泣いていた。

# 92［さい］

かつて一度も経験をしたことがないように一日はゆっくりと流れている。
お前は朝起きて、太陽が東の空にあるのを確認した。
一日は朝御飯からはじまる。
固いものが食べられないので、朝はスープと柔らかいパンだ。
パンを牛乳に浸して食べる。
午前中は料理について考え、残った時間で昔の弟子たちに手紙を書く。
昼は陽気によってだが、晴れていれば店まで歩く。
雨だったり、寒かったりしたら、家でおとなしくしている。
店での昼食は若いコックが作ったまかないの料理を食べる。
固いものは嚙めないが、ある程度嚙みやすく細かくしてだしてくれる。
満席の時は厨房の奥に小さな席が用意されており、そこにいる。
空いている時は客席に混じって食事をする。
馴染《なじ》みの常連客と天気について小一時間話すのが日課だ。

午後遅い時間、晴れていれば歩いて帰る。
雨だったり、寒ければ、息子の嫁の車で送ってもらう。
夕方、ニュースを見る。
屋根裏部屋の小窓から太陽が西の空に沈んでいくのをじっと見ている。
静かに少しずつ沈んでいくのを見送っている。
時々、悲しくなって泣くこともあるが、すぐになぜ泣いているのかわからなくなる。
夕食は大抵一人だが、あまり多くは摂らない。
好物は魚の塩焼きだ。
食後に白ワインを少し呑んで、読書をする。
探偵小説を読むことが多いが、とくに贔屓《ひいき》の作家がいるわけではない。
読書に飽きると、妻の写真を持ってきて話しかける。
「もうすぐ行くから待っているんだよ」
写真たてを枕元に置いて、ベッドにもぐりこむ。
九十二さいのあかんぼうは灯を消して、目を瞑る。おやすみ。

# 93［さい］

背中が曲がった。
足が思うように動かなくなった。
手が痺《しび》れる。手に力が入らない。
目が悪くなった。
耳が聞こえなくなってきた。
さすがに思うように身体が動かなくなってきたな、九十三さいのあかんぼうよ。
九十三年間も生きたのだ、仕方がないな。そう、そのとおり。仕方ない。
もう妻の名前を冠した店の様子を見に行くこともできない。
まあ、無理をすればなんとか歩けるかもしれないが、ヨチヨチ歩きだ。
着いた頃には日が暮れている。
でも、まだお前は元気だな。
小言も言えるし、自分で食事をすることもできる。
多少呂律《ろれつ》が回らない時もあるが、でもちゃんと話は通じる。

記憶力だってそう悪くはない。
立派なものだ。
孫娘のアイデアでお前は子犬を飼うことにした。
雌のチワワだ。
お前は妻の名前を付けた。
ほっ、それはいいアイデアじゃないか。
子犬の面倒を見ていると心が癒される。
何より寂しくないし、それにチワワだって番犬くらいの役割はできる。
もう一つおまけにまた昔のように妻の名前を呼ぶことだってできる。
九十三さいのあかんぼうは大声で朝から晩まで愛犬の名前を呼んだ。
愛犬と寝て、愛犬とテレビを見て、愛犬と遊ぶ。実に楽しそうだな。
どこに行くにも愛犬が一緒だ。ほっほ。
愛犬はまだ一さい。
お前は九十三さいのあかんぼうだ。

# 94［さい］

愛犬は元気だ。
朝は早くから起こされる。
ぐずぐずしていると毛布を剝《は》がされる。
それから散歩に出掛ける。
思うように身体は動かないが、愛犬のためには、出掛けるしかない。
杖をつき、愛犬の後をついていく。
走り回る愛犬を眺めていると、どこからともなく幸福な気持ちが湧き出てくる。
光がそこら中で跳ねている。
愛犬も跳ねている。
まだ時間があるようにお前は感じてならない。
九十四さいにもなって、まだまだ時間が湯水のようにあるような気がしてならない。
愛犬には未来がある。
愛犬と生きることは、その輝かしい未来を共有することだ。

一日中お前は愛犬と遊んでいる。
愛犬と食事をし、愛犬を風呂にいれ、愛犬とベッドに入る。
妻の名前を呼べば走ってくる愛犬とかつての記憶が重なっていく。
愛犬を通してお前は妻と再会しているのだ。なるほど、そのようだね。
愛犬が元気がないとお前も元気がない。やれやれ。
愛犬が元気だとお前も元気だ。やれやれ！　子供のように。
九十四さいのあかんぼうは愛犬だけを見て生きている。
世界が愛犬を中心に回りはじめている。
「さあ、もう寝よう」
ワンワン。愛犬が吠《ほ》える。
お前は寝室までノソノソと歩き、毛布の中にもぐりこむ。
愛犬がベッドに飛び乗り、お前と毛布の間に割り込む。
そうやって一日は過ぎていく。
九十四さいのあかんぼうと愛犬は仲良く並んで寝、それぞれの夢を見ている。

# 95［さい］

娘婿が心臓発作で死んだ、という知らせが届く。
息子が午後、車に乗って知らせに来た。
猛スピードで息子のワゴン車が敷地に飛び込んできた。
青白い顔の息子を見て、お前はすぐに何かがあったことを悟った。
娘婿だって八十さいを越えているのだから、仕方がない。
葬儀に参列することになり、リゾート地へ愛犬を連れて出掛けることになった。
葬儀の間中、愛犬は吠えていた。
人々がお前の下《もと》にやってきて、御愁傷《ごしゅうしょう》さまです、と声をかける。
お前は頷き、年下の者に先に逝かれると寂しい、と呟いた。
娘ももう六十八さいである。
うちひしがれる娘の手を握りしめ、うなだれるその頭を撫《な》でた。
曾孫たちが愛犬と遊んでいる。
墓地を走り回る愛犬と曾孫たちを別の大人が追いかける。

屹立《きつりつ》する墓石の間を愛犬が吠えながら走っている。
笑っている子供たちには、人の死の悲しみはまだ届かない。
静かに！　騒いではいけません！　とベビーシッターの女性が忠告する。
青空は妙に物悲しい。
参列者が墓石に向かって黙禱《もくとう》を捧げている間、お前は一人青空を見上げている。
娘婿の魂を探しているのだな。
「わたしも直《じき》に行く。心配するな」
愛犬が吠える。
子供たちの笑い声が谺《こだま》する。
少し冷たい秋風が吹き抜ける。
お前は娘を抱きしめ、よしよし、となぐさめた。
でもお前は泣いてはいない。
奥歯を噛みしめ、口許を窄《すぼ》め、小さく頷いているだけだ。
死は敗北ではない、とお前は考えている。

# 96［さい］

すっかり身体が動かなくなってしまった。
九十六さいのあかんぼうはほとんど寝たきりになった。
歩くにも歩行器を使わなければならず、屋敷から外には出られなかった。
耳もほとんど聞こえなくなってしまった。
補聴器を付けて、ようやく理解をすることができる程度だ。
視力だって随分と落ちた。
腰もかなり曲がり、当然、歯はすべて入れ歯である。
お手伝いさんが胃に優しい料理を拵《こしら》えて、毎日食べさせてくれる。
どんなに老いても、食べることだけは続く。
テレビでは相変わらず戦争のニュースをやっている。
食事が終わると、再び横になって、窓の外を眺めた。
時々、愛犬がベッドに飛び乗って、お前の横で昼寝をした。
遊んでやりたいが、体が動かない。

頭を撫でるのが精一杯である。
いつの頃からか、世界が少し傾斜しているような気がしてならなかった。
頭の中が水浸しになっているのだ。水道の蛇口を誰かが閉め忘れた、ような。
ちゃぷ、ちゃぷ、と頭を振ると音がする。やれやれ。
痴呆《ちほう》のはじまりだったが、まだ誰も気がついてはいなかった。
物忘れが酷くなっていった。
ご飯を食べたのに、すぐに、昼ご飯を催促《さいそく》した。
死んだはずの娘婿と会って、新しいメニューを考案した、と言いだした。
息子たちは話し合い、介護の人間を雇うことにした。
二十四時間体制で介護人が九十六さいのあかんぼうの面倒を見ることとなる。
仕方がない、なんといってもお前はもう九十六さいのあかんぼうなのだ。
でも、お前はテレビで戦争の映像が映し出されると、口を真一文字に結んだ。
「みんながちゃんと食べているかが心配だ」
テレビに向かって、お前はそう呟いた。

# 97［さい］

痴呆はさらにすすんで、今やお前は生まれたてのあかんぼうのようだ。
一日中、ベッドの上でじっと天井を見上げている。
介護人が車椅子に乗せて庭を散歩する。
愛犬はお前の膝の上でじっとしている。
はて、でもよく見ると、愛犬は怯《おび》えているようだ。なんでだろう？
それもそのはず、まだ若い介護人は陰でお前を殴っている。
庭師や手伝いの女性がいない場所で、悪態をついている。
着替えなど、それは酷いものだ。
愛犬が吠えるがお構いなしだ。
あんなに頑張って生きてきたお前に、なんてことをするのだ。
でもわたしは、はがゆいが、助けてやることはできないのだよ。
どんな時だって、見守っているだけだ。見守っているよ。
愛犬は必死に吠える。すると介護人は愛犬を蹴飛《けと》ばした。

「何ぐずぐず着替えているのよ、このくそじじい」
セーターをひっぱり剝がすように介護人が脱がせていく。
愛犬が介護人の足を嚙んだ。
怒った介護人は愛犬を二階から突き落としてしまう。おい、なんてことする！
愛犬の様子がおかしい、と庭師が息子に通報をした。
足が折れている愛犬が発見されたが、犬は怯えきっている。
介護人は痴呆老人の仕業《しわざ》だと訴えた。
やれやれ、この極悪人め。地獄が待っているからな。
息子は介護人が怪しいと考えたが、証拠がなければ訴えることはできない。
息子たちはビデオを部屋に仕掛けて様子をみた。
数日後、介護人がお前のことを虫けらのように踏みにじっている映像が撮られた。
やれやれ、ようやくこの酷い状況からお前は解放されることとなったわけだ。
しかし九十七さいのあかんぼうには痛みはわからない。
泣いている息子の嫁に向かってお前は、笑いなさい、と微笑んだ。

# 98［さい］

足の折れた愛犬は足を引きずりながらもお前の傍《そば》から離れなかった。
新しい介護人は天使のように優しい女性だった。
お前の祖国の出身者だ。数年前にこの国に来たばかりの可愛らしい少女。
息子のささやかな配慮《はいりよ》だったが、この女性はどことなくお前の妻に似ている。
最近では、九十八さいのあかんぼうは、少女を妻だと思い込んでいる。
その子も次第にそのことに気がついていった。
寝室の写真の中の女性に自分がちょっと似ていたからだ。
それにあまりにもじっとお前が見つめるせいで。
おいおい、あんまりじろじろ見ていると気持ち悪がられるぞ。
でも大丈夫、新しい介護人はお前がどれほど偉大な料理人だったかを知っている。
「サー、あなたは祖国の誇りです」と娘は介護をしながら伝えた。
しかし、お前はただ微笑んでいるだけだ。
お前の妻の命日、一族が集まった。

みんなが祖国の歌を聞きたい、と言いだして、新しい介護人が歌うこととなった。
昔、母親に歌って聞かされていた童謡《どうよう》である。
九十八さいのあかんぼうの目に涙が溜まった。
それを六十九さいになった息子が見つけた。
「懐かしいんだね、父さん」
お前は手を延ばし、かつての妻の名を呼んだ。
理解した新しい介護人はお前の腕の中でおとなしく抱きしめられた。
一番年下の孫が新しい介護人に一目惚《ひとめぼ》れをしたのと同時に。
お前の頬を涙がとめどなく流れ落ちていく。
思い出は失われてはいなかった。
人間にとっての一番の財産とはなんだと思うね、そう、それは思い出なのである。
だからこそ、みんな必死で頑張っている。思い出を作っているんだ。
お前は幸せな男だとわたしは思うよ、わかるだろ?
お前の中にはすばらしい思い出が沢山残っているのだからね。

# 99［さい］

縁とは不思議なもの。ほっ、新しい介護人と一番下の孫が結婚をした。
お前とお前の妻とが結婚をした時のことをわたしは思い出す。
あの時に似て、なんともすばらしい出会いだ。
新しい介護人はお前の一族の末席に加わった。
寝たきりのお前の前に二人が挨拶にやってきた。
勿論、息子とその妻も一緒だ。あ、いけない忘れるところだった、愛犬もね。
これからは家族の一員として介護をさせてもらいます、と娘は言った。
お前は笑っていた。愛犬は尻尾《しっぽ》を振って吠えた。
うれしいのね、と息子の妻が言った。
お前は笑っていた。まるであかんぼうのように！
九十九さいのあかんぼうはすっかり生まれたてのあかんぼうのようになってしまった。
髪の毛も抜け落ちて、皮膚もつるつるしている。
歯もなく、無邪気に笑っている。笑っている。

そしてその日の夜、わたしはお前を抱きしめるために、とうとう地上に下りた。
ようやくお前を迎えることができる。ようやくだ、長かったけど、その時が来た。
その死に顔は、微笑んでいる。人々が駆けつけた時もまだ微笑んでいた。
覗き込む家族たちの顔はみんな全員泣いている。
けれどもお前は微笑んでいる。なにがうれしいんだい、ぼうや。
お前が何故笑っているのか、誰にもわからない。
泣いて生まれてきたことを覚えているかな。
あの時、お前の親は笑っていたのに、今、家族は全員泣いている。
それが別れというものだ。
お前は泣いて生まれてきたが、笑って逝った。
人生とはまことに不思議で、同時にすばらしいもの。
九十九さいまで生きたあかんぼうよ、さあ、星になりなさい。
望み通り、これからお前は輝きになるのだよ。そしてみんなを見守るのだ。
よく生きた。九十九さいのあかんぼうよ、お前は本当によく生きた。

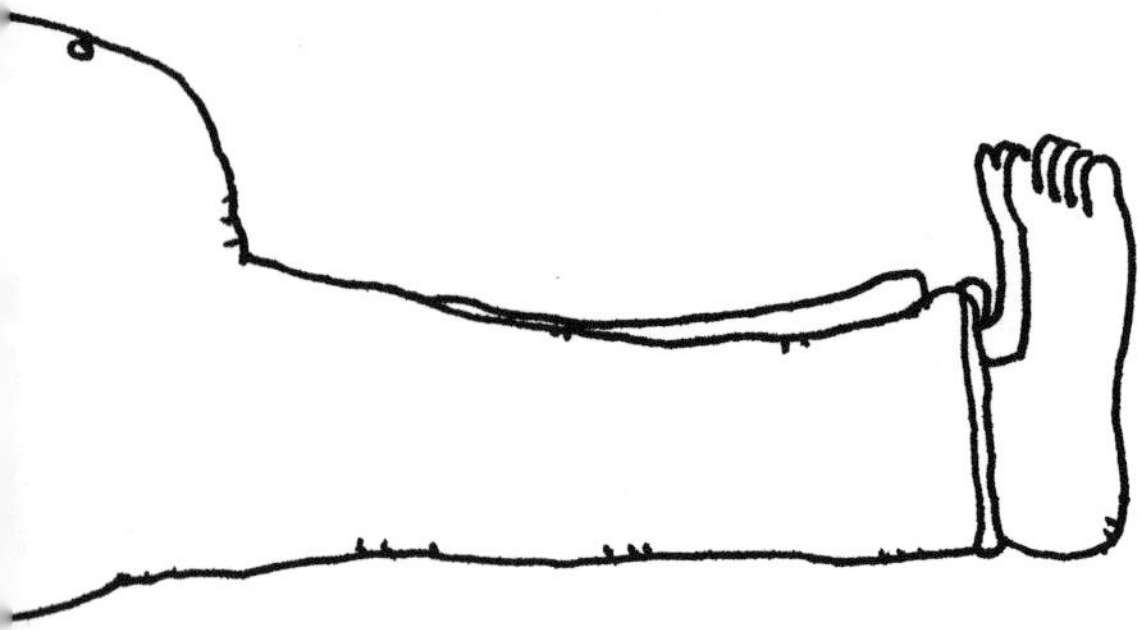

# 文庫化にあたってのあとがき

何歳の人でも読むことが出来る本を出したい、と思ったときに、この作品は生まれました。いかなる性別を問わず、人種を問わず、宗教観を問わず、心ある人であれば誰でも読めるものを目指して書きました。読みたいと思った年齢から読むことの出来るもの、そんなものは出来るだろうか？　出来上がったときに、ああ、これだ、と強い達成感を感じました。あれから三年が過ぎようとしています。毎年毎年、悲しいニュースが届けられます。十年も前には信じられなかったような陰惨な事件が連日どこかで起こっています。今、小説家として書かなければならないものが何か、本当に日々考えさせられるような出来事ばかりです。

人間は死ぬまで赤ん坊なんだと思いませんか？　どんなにえらくなっ

ても、人は宇宙の前であまりにも小さく、幼いものです。なのに、大人になると（この言葉はうそくさい）だんだんみんなそれなりの場所を築き上げて、ついには初心を忘れてしまいます。気がつかないうちに他人に、あるいは世界に、横柄になってしまいます。でも、きっと死ぬまで人は赤ん坊なのです。そして死ぬ間際、人は再び赤ん坊にもどっていきます。だんだん忘れていき、だんだんゼロに帰っていく。おごらず、ただ静かに、この世界を受け止めていけたらなあ、という願いをこめてこの作品を書きました。あなたに手にとっていただけて、よかった。あなたが大切に、一ページ一ページ、貴重な時間を費やしてこの作品と向かい合ってくださることに感謝いたします。ありがとう。

辻　仁成

集英社文庫

99才《さい》まで生《い》きたあかんぼう

2008年2月25日　第1刷
2017年12月9日　第2刷

定価はカバーに表示してあります。

著　者　辻《つじ》　仁成《ひとなり》

発行者　村田登志江

発行所　株式会社　集英社
東京都千代田区一ツ橋2-5-10　〒101-8050
電話　【編集部】03-3230-6095
【読者係】03-3230-6080
【販売部】03-3230-6393（書店専用）

印　刷　凸版印刷株式会社

製　本　加藤製本株式会社

フォーマットデザイン　アリヤマデザインストア　　マークデザイン　居山浩二


ISBN978-4-08-746264-7 C0193